日商簿記3級 合格レシピ

第2版

ネットスクール出版 編著

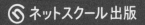

ネットスクール出版

　この本のタイトルを見て、
「合格レシピ？　簿記の本だよね？」
と思った方が多いのではないでしょうか。

　日商簿記検定試験（2級・3級）は、2020年末からネット試験（CBT方式）の追加、試験時間および出題形式の変更など、大きな変化がありました。

　この大きな変化を受け、日商簿記3級の合格には、今までと違った学び方が必要だと感じるようになりました。

　簿記をはじめて学ぶ方が、合格に必要なものを選ぶことは大変です。

　そこで、簿記をはじめて学ぶ方が、料理のレシピのように、順を追って学習すれば合格できる本にしたいという想いで「合格レシピ」と名付けました。

　本書と購入者特典（巻頭 X ページ参照）の問題演習をフル活用し、新しくなった日商簿記3級の合格を手に入れることを心より願っています。

ネットスクールを代表して
藤巻　健二

日商簿記3級について

★日商簿記3級のレベル

　日本商工会議所主催の簿記検定3級（日商簿記3級）は、ビジネスパーソンが身に付けておくべき「必須の基本知識」として、多くの企業から評価される資格です。

　合格するためには、基本的な商業簿記を修得し、小規模企業における企業活動や会計実務を踏まえ、経理関連書類の適切な処理を行うための知識や技術が求められます。

★日商簿記3級の試験

　日商簿記3級は、年3回実施される統一試験（ペーパー試験）のほかに、指定されたテストセンターにあるパソコンを使って随時受験が可能なネット試験（CBT方式）の2種類の方法で受験できます。

　印刷された問題を読んで答案用紙に答えを記入するのか、画面に表示された問題を読んでマウスやキーボードを使って答えを入力するのかの違いはありますが、どちらの試験も同じ試験範囲・難易度で、いずれの形式でも合格すれば「日商簿記3級合格」となります。

	統一試験（ペーパー試験）	ネット試験（CBT方式）
試験日	年3回（6月、11月、2月）実施	テストセンターが定める日時で随時実施
試験会場	各地の商工会議所が設けた試験会場	商工会議所が認定した全国260か所超（2021年6月現在）の試験会場
申込み	各地の商工会議所によって異なります。（試験の概ね2か月前から1か月前に受付）	インターネットを通じて、または会場に連絡して申込み。（会場によって異なります）
試験時間	60分	
合格点	100点満点中70点以上で合格	
合格発表	各地の商工会議所によって異なります。（概ね2週間程度で発表）	試験終了後、即時採点され結果発表。
受験料	2,850円（税込） ※別途手数料が発生する場合があります。	2,850円（税込） ※別途手数料が発生する場合があります。

最新の情報については日本商工会議所の検定試験公式サイトや、各地商工会議所のホームページ（統一試験）、株式会社CBT-Solutionsのホームページ（ネット試験）もご覧ください。

【日本商工会議所 簿記検定公式ページ】
https://www.kentei.ne.jp/bookkeeping

ネット試験（ＣＢＴ方式）に向けた学習計画

ネット試験（ＣＢＴ方式）は随時実施されているので、テストセンターに空きがあればいつでも受験できる反面、「試験日を延ばそう…」という誘惑に負けて合格がズルズルと遠ざかっていく危険性もあります。きちんと受験時期の目標を立てて、計画的に学習しましょう。

① 勉強時間を作ろう

勉強時間は勝手に湧いてくるものではないので、普段の生活サイクルを見直して、「勉強に充てられる時間」をみつけましょう。

その際、1時間を超えるまとまった時間だけでなく、10分くらいの"スキマ時間"を見つけることも大切です。スマートフォンの利用履歴（スクリーンタイムなど）で、ゲームやＳＮＳに使っている時間を勉強時間に回せないかも確認しましょう。

勘定科目などは、スキマ時間に
何度も見直しながら覚えていくといいよ！

② 目標とする受験日を決めよう！

次に、受験時期を決めましょう。あまり先延ばしするとモチベーションが続かず、かといって無茶なスケジュールを立てても諦めたくなるので、「ちょっと頑張れば達成できる」目標にしましょう。

下の表では1週間の学習時間と目安となる受験時期の関係性をまとめているので、受験時期を決める際の参考にしてみて下さい。

1週間の予定総学習時間と学習時間のイメージ		目標受験時期
20時間以上	毎日3時間、平日2時間＆週末10時間 etc…	2〜3週間後
15〜20時間程度	毎日2.5時間、平日1時間＆週末10時間 etc…	4週間後
10〜15時間程度	毎日2時間、平日1時間＆週末7時間 etc…	6週間後
5〜10時間程度	毎日1時間、週末まとめて7時間 etc…	8週間後

勉強時間が少ないと、勉強できない間に忘れる量が増えて
復習が大変になるから、最低でも1週間で5〜10時間程度の
学習時間は頑張って確保しよう。

下の表は、効果的に日商簿記3級を学習するための手順と、全体の学習期間に対してどれくらいの割合を割けばよいのかの目安を示したものです。受験予定日を決めたら、そこから逆算して予定を立ててみましょう。

学習の手順	割合(%)	学習スケジュール	
① テキストをざっくり読む 　まずは、分からないところも気にせず、テキストを最後までザっと読んで、これから学ぶ簿記の全体像を把握しましょう。	10	予定 　／　～　／	
		実際 　／　～　／	
② テキストを読みながら、基本問題を解く 　テキストを読みながら、該当する基本問題を解きましょう。簿記は実際に問題を解くことで実力が伸びるものです。	40	予定 　／　～　／	
		実際 　／　～　／	
③ 基本問題をもう一度解く 　次は何も見ずに基本問題を解きましょう。間違えた箇所は該当するテキストを読み直して、正しい知識を身に付けます。	20	予定 　／　～　／	
		実際 　／　～　／	
④ 実力アップ問題を解く 　最初は解説を見ながら解いても良いので、実力アップ問題に挑戦して、応用力をアップさせましょう。	10	予定 　／　～　／	
		実際 　／　～　／	
⑤ 模擬試験(本試験レベル)を解く 　本試験は時間との勝負です。60分以内に70点が取れるよう、時間を計って解きましょう。間違えた箇所の復習も大切です。	20	予定 　／　～　／	
		実際 　／　～　／	
本試験		予定 　／	実際 　／

実際の学習期間も記録して、予定とのズレも把握するのじゃ。予定どおり進まない時は、思い切って受験時期の変更も検討すべきじゃが、ズルズルと延期させないように注意するんじゃぞ。

iii 統一試験（ペーパー試験）に 向けた学習計画

統一試験は年3回（6月第2日曜日、11月第3日曜日、2月第4日曜日）の決まった日に全国一斉に実施されます。したがって、統一試験の受験を希望の方は、この年3回のチャンスに合わせて学習計画を立てなければなりません。

① 目標とする受験日を確認しよう

まずは次の試験日と近くの商工会議所の申込受付期間を確認しましょう。商工会議所によって異なりますが、統一試験は試験日の1〜2か月前に受験の申込受付期間が設定されています。この申込受付期間までに勉強が始められるのであれば、直近の試験日を目標に学習の計画を立ててみましょう。

受験申込に関する詳細は、必ず受験予定地の商工会議所ホームページなどをチェックしよう！

② 勉強時間を作ろう

統一試験は年3回しか実施されず、チャンスを一度逃すと次の統一試験まで何か月も待たなければなりません。

したがって、目標とする統一試験の試験日が決まったら、試験日までの期間にどうしても外せない仕事、学校のテストなどの予定（「大切な用事」）とそれに必要な日数や時間を洗い出し、大切な予定に必要な時間以外でどれくらい簿記の勉強に回せるかを確認しましょう。

定期的なリフレッシュや休息、人付き合いなども大切ですが、試験の直前期（試験2〜3週間前以降）は、できる限り試験勉強を優先させましょう。

統一試験の受験日が決まったら、その日までは「受験モード」に切り替えて、なるべく試験勉強を優先させたいわね。

下の表は、効果的に日商簿記3級を学習するための手順と、全体の学習期間に対してどれくらいの割合を割けばよいのかの目安を示したものです。目標とする統一試験の日と学習開始日を参考に、それぞれのステップの予定をいつまでに終える予定か計画してみましょう。

学習の手順	割合 (%)	学習スケジュール	
① テキストをざっくり読む 　まずは、分からないところも気にせず、テキストを最後までざっと読んで、これから学ぶ簿記の全体像を把握しましょう。	10	予定　　／　～　／	
		実際　　／　～　／	
② テキストを読みながら、基本問題を解く 　テキストを読みながら、該当する基本問題を解きましょう。簿記は実際に問題を解くことで実力が伸びるものです。	40	予定　　／　～　／	
		実際　　／　～　／	
③ 基本問題をもう一度解く 　次は何も見ずに基本問題を解きましょう。間違えた箇所は該当するテキストを読み直して、正しい知識を身に付けます。	20	予定　　／　～　／	
		実際　　／　～　／	
④ 実力アップ問題を解く 　最初は解説を見ながら解いても良いので、実力アップ問題に挑戦して、応用力をアップさせましょう。	10	予定　　／　～　／	
		実際　　／　～　／	
⑤ 模擬試験（本試験レベル）を解く 　本試験は時間との勝負です。60分以内に70点が取れるよう、時間を計って解きましょう。間違えた箇所の復習も大切です。	20	予定　　／　～　／	
		実際　　／　～　／	
本試験		予定　　／	実際　　／

ネット試験（CBT方式）と違って、統一試験（ペーパー試験）は一度逃すと何か月も待たないといけないから、なるべく予定は変更しなくて良いように立てるのが鉄則だぞ。

iv 本書の特徴

勘定科目を
色別に表現!
だから覚えやすいぞ!

ボルシチ
(ピロシキの父)

イラストで取引の
イメージばっちり!

ピロシキ
(主人公:クックウェア株式会社)

答えを導くための
わかりやすい
解説だよ!

そばめし
(得意先:そば商店)

見開き完結
だから、サクサク
読み進められるよ!

アヒージョ
(仕入先:アヒー商店)

Section 5 商品券

59 商品券を受け取ったとき

商品券を受け取ったよ!

| 資産 | 負債 |
| 資本 |
| 費用 | 収益 |

商品券を受け取って商品を販売したときの仕訳をしてみよう!

クックウェア株式会社は、カツ商店に商品800円を販売し、代金として自治体発行の商品券800円を受け取った。

3章
59 商品券を受け取ったとき

使えるよ!　　　　　　　　　この商品券は使えるかい?

商品券
800円

答え

| (受取商品券) | 800 | (売　　上) | 800 |

解説

商品券を受け取ったときは、商品券の金額を発行元に請求できる権利が増えるので、受取商品券(資産)が増えます。

受取商品券 → 資　産 → ⬆増えた　　売　　上 → 収　益 → ⬆増えた

全国百貨店共通商品券などもあるぞ!

「合格レシピ」のフルコース！

問題集（PDF）
問題を解いて、実力アップ！

問題集
？

+

模擬試験（PDF）
実力を試してみよう！
模擬試験
？

+

カバー裏
勘定科目一覧と説明が載っている優れもの！
勘定科目一覧と説明

学習に便利！

Section 5　商品券

NEW!勘定科目

うけとりしょうひんけん
受取商品券（資産）

商品券の金額を発行元に請求できる権利の増減は受取商品券（資産）に記入します。

貸借対照表

受取商品券		資産	負債
＋	－		資本

> 新しく出てきた勘定科目の詳しい説明！まずはここから覚えましょう！

ショコラ
（ピロシキの母）

Point

受け取った商品券は、発行元に引き渡して換金請求します。

(500)
(100)(100)(100)

商品券800円

（現　　金）	800	（受取商品券）	800

3章
59　商品券を受け取ったとき

> 重要項目が一目瞭然にまとまっているから復習に便利じゃぞ！

カツじい
（得意先：カツ商店）

> 対応する基本問題にチャレンジ～

マカロン
（従業員）

問題集
基本問題11へ

> 246ページに「勘定科目表」があるよ！

クスクス
（仕入先：クス商店）

購入者特典

練習問題ダウンロード についてのご案内

　購入者特典として、特設サイトにて各種練習問題（基本問題・実力アップ問題・模擬試験）を公開しています。本書で学んだ知識の確認や試験前の総仕上げなどに、ぜひご活用下さい。

※ ご利用には、このページ下部に記載のパスワードの入力が必要です。

≪特設サイトにて配信するコンテンツ≫

◆基本問題　（問題01〜問題44）
テキストを読んで学んだ内容を確認するために解く問題です。基礎的な知識の定着に活用してください。

◆実力アップ問題　（問題01〜問題13）
基本問題よりもレベルアップした、より本試験に近い問題です。これまで学んだ知識が活用できるかを確認するために最適です。

◆模擬試験　（第1回〜第3回）
本試験の形式・難易度に合わせた模擬試験です。本番と同じ制限時間の60分以内に70点以上取れるよう練習しましょう。

　なお、練習問題はすべてPDFファイルでの配布となります。印刷に必要なプリンターや用紙・インク代等はお客様のご負担となりますので、あらかじめご了承ください。

　また、プリンターをお持ちでない場合、コンビニエンスストアのネットプリントサービス等をご利用ください。

ネット試験（CBT方式）を受験予定の方へ

　ネット試験（CBT方式）では、画面上に表示される問題を見ながら解答していくため、問題用紙にメモしたり、印をつけたりすることができません。もし、解答をメモするために練習問題をプリントアウトする場合であっても、問題文については画面上に表示させて解いたり、問題文に一切のメモをしない前提で解くことをお勧めします。

購入者特典 利用パスワード
（特設サイト内にてご入力下さい。）

15402

QRコードを使ったアクセスはこちら▶

https://www.net-school.co.jp/special/recipe_3q2/

目次
Contents

第2章 簿記の基礎(決算編)

第3章 商品売買

Contents

第4章 小切手・手形・電子記録債権

第5章 固定資産

第6章 収益・費用

第7章 仮払い・仮受け～一時的な処理～

Contents

第8章　その他の取引

Contents

第 9 章　補助簿・伝票
ほじょぼ　でんぴょう

第 0 章

はじめての簿記（ぼき）

はじめて日商簿記3級の学習を始めた方から、

「そもそも簿記ってなんですか？」という質問をよく受けます。

まずは第0章で、簿記のイメージをつかんでいきましょう。

Section 1	簿記って、なに？
Section 2	貸借対照表って、なに？
Section 3	損益計算書って、なに？

会社も家計簿が必要なんです!

簿記とは

会社を経営するには、「簿記」が必要って聞いたんだけど、
そもそも簿記ってなんだろう?

答え

簿記とは、帳簿記入の略で、会社の取引(モノを買ったり、売ったりすることなど)を一定のルールにしたがって帳簿と呼ばれるノートに記入することです。

解説

会社で取り扱うモノを買ったり、売ったりすること以外に、事務所や店舗などの家賃や電気代を払ったりしたことも帳簿に記入します。

帳簿はまるで家計簿みたいなものです。

ただし、帳簿は家計簿と違って、誰が記入しても同じ結果になるように、一定のルールを設けています。みなさんは、この一定のルールをこれから学習していくことになります。

お金の残高やいくら儲けたかって、気になるよね！

簿記の必要性

どうして会社の取引を、帳簿と呼ばれるノートに記入する必要があるの？

答え

　帳簿の内容をまとめた報告書を作成し、税金を納めたり、銀行からお金を借りたりするときなどに利用します。

解説

　帳簿の内容をまとめて、会社にあるお金の残高や会社が保有している土地などの財産がいくらあるかをまとめた貸借対照表や会社が1年間（会計期間）でどれだけ儲けたかをまとめた損益計算書という報告書を作成します。これらの報告書を財務諸表といい、この財務諸表を作るために簿記が必要となります。

期間を区切らないと…!

会計期間とは

さっき「会計期間」という言葉が出てきたんだけど、会計期間ってなんだろう?

答え

会計期間とは、財務諸表(貸借対照表・損益計算書)を作成するために区切った一定期間(通常は1年間)のことです。

解説

会計期間の最初の日を期首、会計期間の最後の日を期末または決算日といい、期首から期末(決算日)までの期間を期中といいます。また、現在の会計期間のことを当期、当期の1つ前の会計期間を前期、当期の1つ後の会計期間を次期または翌期といいます。

Point 会計期間

	期首	期中	期末(決算日)
前期		当期	次期(翌期)
		会計期間	

会計期間は通常1年です。また、日商簿記3級で出題される会社(株式会社)の簿記では、決算日は3月31日です。

会計期間を1年ごとに区切ることで、1年ごとの儲けを計算でき、損益計算書を作成することができます。また、貸借対照表は期末(決算日)に、お金などの財産がいくらあるかをまとめて作成します。

4

会社の財産大公開！

貸借対照表とは

貸借対照表は、どのような報告書なの？

答え

　貸借対照表は、期末（決算日）において、会社にお金や土地などの財産がいくらあるかをまとめた報告書のことです。貸借対照表は、資産、負債、資本の3つのグループで構成され、資産が左側、負債・資本が右側に記載されます。

解説

　お金や土地以外にも、借金のように、マイナスのイメージのものも会社の財産として存在し、簿記では貸借対照表にまとめます。

資産は増えたらうれしいよね！

資産とは

資産ってなんだろう？

答え

　資産は、お金や建物、土地などの一般的には財産といわれるものをいいます。また、お金を貸したときには、「後日、お金を返してもらう権利」が発生し、このような権利も簿記では資産になります。

 ## 解説

　「権利」は「〜ことができる」と読み替えるとわかりやすいです。たとえば、「後日、お金を返してもらうことができる」というような感じです。

資　産

現金

土地や建物

お金を返して
もらう権利

貸借対照表の左側は資産！

負債は増えたら悲しい、資本は多いといいね！

6 負債、資本とは

負債、資本ってなんだろう？

 答え

　負債は、「後日、お金を返す義務」である借金のように、何かしらの義務のことをいいます。また、資本は、会社運営のための出資額（資本金）と獲得した儲け（利益剰余金）のことです。

解説

　「義務」は「〜しなければならない」と読み替えるとわかりやすいです。たとえば、「後日、お金を返さなければならない」というような感じです。「出資額」は、会社運営のために用意した資金の額のことです。

負 債

資 本

出資金

貸借対照表の右側は負債・資本！

左と右のバランスが取れている！

貸借対照表の特徴

貸借対照表には、どのような特徴があるの？

答え

資産 ＝ 負債 ＋ 資本
資産 － 負債 ＝ 資本

解説

　左側の資産の金額と、右側の負債の金額と資本の金額の合計が必ず一致します。左側と右側でバランスが取れていることを表しています。

貸借対照表が英語でバランス・シートと呼ばれるのも納得！

　また、資産の金額から負債の金額を差し引くと資本の金額になります。資本には、会社の正味の財産という意味があります。

会社の通信簿だよ！

8 損益計算書とは

損益計算書は、どのような報告書なの？

答え

　損益計算書は、1年間で会社がいくら儲けたかを明らかにするための報告書です。この1年間は会計期間のことです。損益計算書は、収益、費用の2つのグループで構成され、費用が左側、収益が右側に記載されます。

損益計算書

| 費　用 | 収　益 |

解説

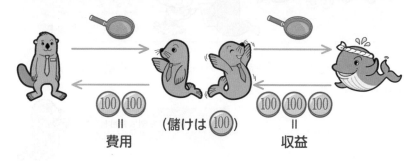

100 100
＝
費用

（儲けは 100）

100 100 100
＝
収益

稼ぎを得るためには必要です！

費用とは

費用ってなんだろう？

答え

費用は、会社の稼ぎを得るためにかかるものです。

解説

お客さんに売るためのモノを購入した金額が費用です。また、モノを売るために雇ったアルバイトさんの給料も費用です。この他にも、事務所や店舗の家賃、電気代など、費用はいろいろあります。

会社で売るためのモノを商品といい、その商品を購入することを仕入れるといいます。

損益計算書の左側は費用！

10 収益とは

たくさん売れたらいいよね！

収益ってなんだろう？

答え

収益は、会社の稼ぎです。

解説

たとえば、商品を販売したときの販売金額が収益です。この他にも、預金の利息や賃貸した建物の家賃など、収益はいろいろあります。

収 益

商品の販売代金も

ピロシキ様へ

賃貸した建物の家賃も！

銀行預金の利息も！

商品を販売することを売上げるといいます。

損益計算書の右側は収益！

儲けたの？　損したの？　さて、どっち？

損益計算書の特徴

損益計算書には、どのような特徴があるの？

答え

　損益計算書では、収益と費用の関係から儲けが生じることもあれば、損が生じることもあります。

収益 － 費用 ＝ 儲け または 損

　収益のほうが費用より多ければ、儲けが生じています。この儲けのことを当期純利益といいます。また、収益のほうが費用より少なければ、損が生じています。この損のことを当期純損失といいます。

解説

損益計算書	損益計算書
費　用	
収　益	収　益
利益	費　用
	損失

費用 ＜ 収益 → 当期純利益　　**費用 ＞ 収益 → 当期純損失**

第1章

簿記の基礎
（期中編）

第0章では、簿記は財務諸表を作るために必要だということがわかりました。

第1章、第2章では会社の取引を帳簿に記入して、その帳簿をまとめて財務
諸表（貸借対照表・損益計算書）を作るところまでを体験しましょう。

第1章、第2章で簿記の全体像を確認することができるので、全体像が見え
なくなったら、この章に戻ってくるといいですよ。

Section 1	帳簿への記入の仕方は？
Section 2	帳簿記入の練習をしよう！
Section 3	試算表

帳簿に記入する取引にびっくり！

簿記上の取引

帳簿に記入する取引ってどういう取引？

答え

　帳簿に記入する取引は、資産・負債・資本・収益・費用が増えたり、減ったりする取引のことで、この取引を簿記上の取引といいます。

解説

　まずは商品を仕入れたり、商品を売上げたりするような一般的に取引といえるものがあります。

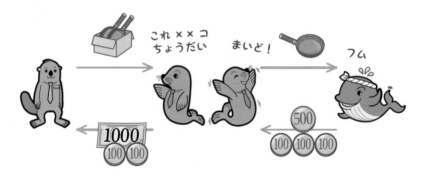

これ××コ
ちょうだい
まいど！
フム

1000
100 100
500
100 100 100

　たとえば、商品を仕入れてお金を支払ったときは、お金が会社から出ていきます。つまり、会社からお金が減ります。お金は資産なので、資産が減ったことから、簿記上の取引になります。

　また、一般的には取引といえますが、簿記上の取引ではないことも
あります。たとえば、商品を購入する契約を結ぶことです。

　契約を結んだだけでは、資産・負債・資本・収益・費用は増減しま
せん。

　また、一般的には取引といえないものが、簿記上の取引になること
もあります。

　たとえば、資産である会社の倉庫が火災で焼失してしまったときは、
資産が減ったことから、簿記上の取引になります。
　そして、簿記では資産・負債・資本・収益・費用の各グループの中
に決められた用語が用意されており、この用語を用いて簿記上の取引
を帳簿に記入します。この用語を勘定科目といいます。

簿記専用の用語だよ！

勘定科目とは

勘定科目について、もう少し詳しく知りたいな！

答え

勘定（勘定口座）とは資産・負債・資本・収益・費用の増減を記録する場所のことです。そして、この記録する場所にそれぞれ名前がついており、その名前を勘定科目といいます。

解説

たとえば、会社が保有する倉庫、店舗、ビルについては、建物という勘定科目を使います。建物は資産グループに所属します。そして、建物の増減を記録する場所を建物勘定といいます。

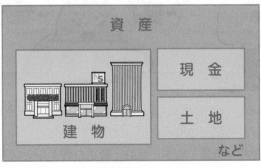

他のグループも「勘定科目」を持ってるよ！

資産、負債、資本、収益、費用の各グループの中に様々な勘定科目があります。新しい勘定科目が出てきたら、覚えていきましょう。

勘定科目にはどのようなものがあるのかな？

14 代表的な勘定科目

代表的な勘定科目を教えて！

答え

	グループ	勘定科目	内容
貸借対照表	資　産	現　　金	硬貨・紙幣など
		建　　物	倉庫、店舗、ビルなど
		貸 付 金	後で金銭を返してもらう権利
	負　債	借 入 金	後で金銭を返す義務
	資　本	資 本 金	会社運営のための出資額
損益計算書	収　益	売　　上	商品の販売による稼ぎ
		受取家賃	賃貸した物件の受け取った家賃
	費　用	仕　　入	商品の仕入れにかかる費用
		給　　料	従業員へ支払う給料
		通 信 費	切手代、電話代など情報流通にかかる費用

解説

本書において、勘定科目とグループを次のように表します。

現金(資産) …カッコの前が勘定科目、カッコの中がグループ

ここでは勘定科目の紹介をしただけなので、新たな勘定科目
が出てきたら、覚えていこう。
グループと勘定科目は必ずセットで覚えるんだ。

取引は日記みたいに書かないよ!

会社の帳簿

会社の帳簿について教えて!

答え

　会社の帳簿には、必須のものとして仕訳帳と総勘定元帳があります。この2つの帳簿を合わせて主要簿といいます。

 解説

　仕訳帳は簿記上の取引を仕訳という形式にして日付順に記録する帳簿です。仕訳とは、簿記上の取引を勘定科目と金額を用いて表す方法です。仕訳の基本的な形式は以下のとおりです。

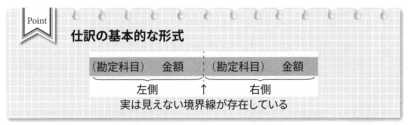

| Point | 仕訳の基本的な形式 |

（勘定科目）　金額　｜　（勘定科目）　金額

左側　　　↑　　　右側

実は見えない境界線が存在している

仕訳は左側と右側に分かれるよ。そして、必ず、左側にも、右側にも勘定科目が1つ以上入るんだ。
左側の金額合計と右側の金額合計は必ず一致するよ。

　実際は、仕訳を仕訳帳に清書しますが、本書では、上記の仕訳の基本的な形式で説明をしていきます。

　　総勘定元帳は勘定科目ごとに金額の増減を記録する帳簿です。学習
上は、主に T フォームという簡略化した形式で説明をします。

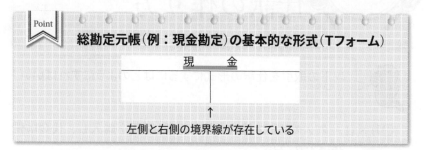

Point
総勘定元帳（例：現金勘定）の基本的な形式（Tフォーム）

現　　金

↑
左側と右側の境界線が存在している

総勘定元帳も左側と右側に分かれるよ。
総勘定元帳は勘定科目ごとの勘定口座（金額の増減を集計する場所）の集まりなんだよ。

　　仕訳にもとづいて総勘定元帳の各勘定口座に記録します。これを転^{てん}記^きといいます。

　　また、簿記では、左側のことを借方^{かりかた}、右側のことを貸方^{かしかた}といいます。

かりかたの「り」が左向きだから、借方は左側、
かしかたの「し」が右向きだから、貸方は右側
と覚えるといいよ。

Point

・借方…左側のこと　　　　　　　　・貸方…右側のこと

かり　　　　　　　　　かし

16

仕訳ができなきゃ、簿記は始まらないよ！

仕訳(しわけ)の作(つく)り方(かた)

以下の取引を仕訳の形式にするにはどのようにすればいいの？

○月×日　クックウェア株式会社は店舗100円を購入し、代金は硬貨で支払った。

答え

仕訳の作り方は以下のとおりです。

①取引より勘定科目（グループも確認）を考え、金額の増減を確認

②左右の振分けルールに当てはめ、記入する側を決める

　「資産・費用」用ルールと「負債・資本・収益」用ルールに分かれます。

?
Rules　振分けルール

資産	費用		負債	資本	収益
増えた	減った		減った		増えた
↓	↓		↓		↓
左側記入	右側記入		左側記入		右側記入

③日付と勘定科目と増減額を記入

○/×	(△　△　△)	金額	(□　□　□)	金額

 解説

①取引より勘定科目（グループも確認）を考え、金額の増減を確認

　取引の「店舗100円を購入」に着目し、会社の店舗が増えたことを読み取ります。そして、会社の店舗は建物（資産）を使います。最終的に、「建物→資産→増えた」と読み取ります。

　取引の「代金は硬貨で支払った」に着目し、会社の硬貨が減ったことを読み取ります。そして、会社の硬貨は現金（資産）を使います。最終的に、「現金→資産→減った」と読み取ります。

②左右の振分けルールに当てはめ、記入する側を決める

③日付と勘定科目と増減額を記入

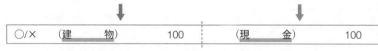

「建物」と増加額を記入　　　　　「現金」と減少額を記入

○/×	(建　　物)	100	(現　　金)	100

読み方だけど、
「かりかた　たてもの　ひゃく　かしかた　げんきん　ひゃく」
と読むよ。そして、本来この仕訳を仕訳帳に清書するよ。

1章
16
仕訳の作り方

021

現金や借金の増減や残高がわかるよ！

17 総勘定元帳への記入方法

 以下の取引の仕訳を総勘定元帳に転記するにはどのように
すればいいの？

○月×日　クックウェア株式会社は店舗100円を購入し、代金は硬
　　　　　貨で支払った。

○/×	（建　　物）	100	（現　　金）	100

答え

　総勘定元帳への転記の仕方は以下のとおりです。まず、取引の仕訳
があることが前提となります（⑯ ①〜③の続き）。

○/×	（△　△　△）	金額	（□　□　□）	金額

④仕訳にもとづいて、総勘定元帳に記入する場所を確認

　仕訳の左側の勘定科目（△△△）は、△△△勘定の左側に記入する

　仕訳の右側の勘定科目（□□□）は、□□□勘定の右側に記入する

⑤記入する側に日付と増減額を記入

	△　△　△			□　□　□	
○/×	金額			○/×	金額

![解説]

| ○/× | (建　物) | 100 | (現　金) | 100 |

④仕訳にもとづいて、総勘定元帳に記入する場所を確認

　仕訳の左側の勘定科目(建物)は、建物勘定の左側に記入する

　仕訳の右側の勘定科目(現金)は、現金勘定の右側に記入する

⑤記入する側に日付と増減額を記入

	建　物			現　金	
○/×	100			○/×	100

> ここで振分けルールの簡単な覚え方を紹介しておくよ。
> 貸借対照表では資産が左、負債・資本が右、
> 損益計算書では費用が左、収益が右で、
> これを各グループのホームポジション(定位置)とするよ。

貸借対照表

資産	負債
	資本

損益計算書

費用	収益

各グループが増えたときにはホームポジション側に記入

　→資産・費用は左側、負債・資本・収益は右側に記入

各グループが減ったときにはホームポジションの反対側に記入

　→資産・費用は右側、負債・資本・収益は左側に記入

> 振分けルールは超重要だから必ず覚えてね!!

設立資金がないと始まらない!

18 簿記を体験しよう①

以下の取引を仕訳して総勘定元帳に転記したらどうなる?

4月1日　クックウェア株式会社は、設立にあたって株式を発行し、ピロシキより紙幣1,000円の払込みを受けた。

答え

| 4/1 | (現　　金) | 1,000 | (資 本 金) | 1,000 |

現　　金		資 本 金	
4/ 1　　1,000			4/ 1　　1,000

解説

①取引より勘定科目(グループも確認)を考え、金額の増減を確認

　取引の「紙幣1,000円の払込みを受けた」に着目し、紙幣が増えたことを読み取ります。そして、紙幣は現金(資産)を使います。最終的に、「現金→資産→増えた」と読み取ります。

　取引の「株式を発行し」に着目し、会社運営のための出資が増えたことを読み取ります。そして、会社運営のための出資は資本金(資本) を使います。最終的に、「資本金→資本→増えた」と読み取ります。

②左右の振分けルールに当てはめ、記入する側を決める

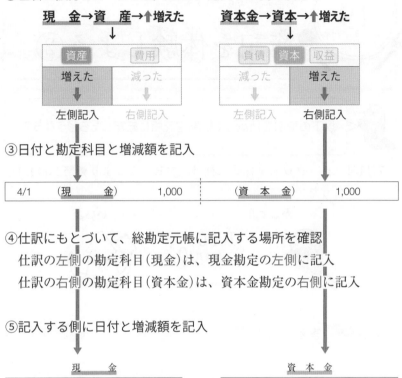

③日付と勘定科目と増減額を記入

4/1	(現　　金)	1,000	(資　本　金)	1,000

④仕訳にもとづいて、総勘定元帳に記入する場所を確認

　仕訳の左側の勘定科目(現金)は、現金勘定の左側に記入

　仕訳の右側の勘定科目(資本金)は、資本金勘定の右側に記入

⑤記入する側に日付と増減額を記入

現　　金		資　本　金	
4/ 1　　1,000			4/ 1　　1,000

NEW 勘定科目

資本金(しほんきん)(資本)

出資額の増減は資本金(資本)に記入します。

貸借対照表

小さな会社(株式会社)では、自分で出資して株主となり、自分で経営することが多くあるよ。
株式会社のしくみは後で学習するよ。

お金を借りたらどうなる？

簿記を体験しよう②

以下の取引を仕訳して総勘定元帳に転記したらどうなる？

7月1日　クックウェア株式会社は、アヒージョより紙幣2,000円を
借りた。

かして!!　　　　　　　　　　いいよ

 答え

7/1	（現　　　金)	2,000	（借　入　金)	2,000

	現　　金			借　入　金	
4/ 1	1,000			7/ 1	2,000
7/ 1	2,000				

 解説

①取引より勘定科目（グループも確認）を考え、金額の増減を確認

　取引の「紙幣2,000円を借りた」に着目し、紙幣が増えたことを読み
取ります。そして、紙幣は現金（資産）を使います。最終的に、「現金
→資産→増えた」と読み取ります。

　取引の「紙幣2,000円を借りた」に着目し、後で返さなければならな
い金銭の額が増えたことを読み取ります。そして、後で金銭を返す義
務は借入金（負債）を使います。

最終的に、「借入金→負債→増えた」と読み取ります。

「紙幣を借りた」を「後で金銭を返す義務」に読み替えるよ。試験では、「金銭を借り入れた」という表現で出題されることもあるよ。この読み替えはたくさん問題に触れることで慣れるしかないからね、頑張れ!!

②左右の振分けルールに当てはめ、記入する側を決める

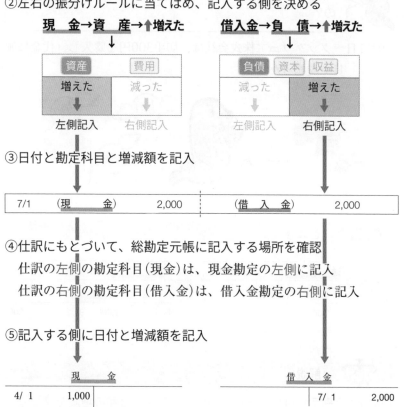

③日付と勘定科目と増減額を記入

| 7/1 | （現　　　金） | 2,000 | （借　入　金） | 2,000 |

④仕訳にもとづいて、総勘定元帳に記入する場所を確認

　　仕訳の左側の勘定科目（現金）は、現金勘定の左側に記入

　　仕訳の右側の勘定科目（借入金）は、借入金勘定の右側に記入

⑤記入する側に日付と増減額を記入

	現　　　金			借　入　金	
4/ 1	1,000			7/ 1	2,000
7/ 1	2,000				

切手を購入したらどうなる？

20 簿記を体験しよう③

 以下の取引を仕訳して総勘定元帳に転記したらどうなるの？

9月1日 クックウェア株式会社は、切手300円を購入し、代金は硬貨で支払った。

答え

9/1	（通 信 費）	300	（現　　金）	300

通　信　費		現　　金	
9/ 1　　300		4/ 1　　1,000	9/ 1　　300
		7/ 1　　2,000	

解説

①取引より勘定科目（グループも確認）を考え、金額の増減を確認

　取引の「切手300円を購入」に着目し、切手が増えたことを読み取ります。そして、切手は通信費（費用）NEWを使います。最終的に、「通信費→費用→増えた」と読み取ります。

　取引の「代金は硬貨で支払った」に着目し、会社の硬貨が減ったことを読み取ります。そして、硬貨は現金（資産）を使います。

最終的に、「現金→資産→減った」と読み取ります。

②左右の振分けルールに当てはめ、記入する側を決める

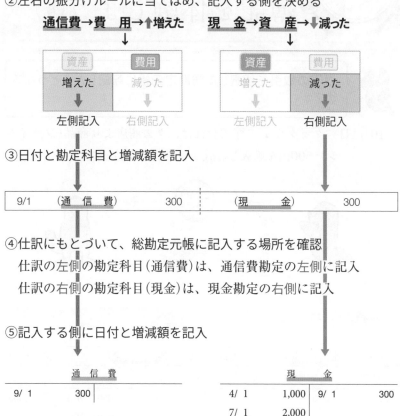

③日付と勘定科目と増減額を記入

| 9/1 | （通　信　費） | 300 | （現　　金） | 300 |

④仕訳にもとづいて、総勘定元帳に記入する場所を確認

　仕訳の左側の勘定科目（通信費）は、通信費勘定の左側に記入

　仕訳の右側の勘定科目（現金）は、現金勘定の右側に記入

⑤記入する側に日付と増減額を記入

通　信　費				現　　金		
9/ 1	300		4/ 1	1,000	9/ 1	300
			7/ 1	2,000		

NEW 勘定科目

通信費（つうしんひ）（費用）

　切手代、電話代など情報流通にかかる費用の増減は通信費（費用）に記入します。

通　信　費	
＋	－

損益計算書
費用　収益

商品を仕入れたらどうなる？

簿記を体験しよう④

以下の取引を仕訳して総勘定元帳に転記したらどうなるの？

10月1日　クックウェア株式会社は、クス商店より商品（フライパン）500円を購入し、代金は硬貨で支払った。

答え

10/1	（仕　　入）	500	（現　　金）	500

仕　　入		現　　金	
10/ 1　　500		4/ 1　　1,000 ｜ 9/ 1　　300	
		7/ 1　　2,000 ｜ 10/ 1　　500	

解説

①取引より勘定科目（グループも確認）を考え、金額の増減を確認

　取引の「商品500円を購入」に着目し、商品の仕入にかかる費用が増えたことを読み取ります。そして、商品の仕入にかかる費用は仕入（費用）を使います。最終的に、「仕入→費用→増えた」と読み取ります。

取引の「代金は硬貨で支払った」に着目し、会社の現金が減ったことを読み取ります。そして、硬貨は現金(資産)を使います。最終的に、「現金→資産→減った」と読み取ります。

「商品を購入」を「商品の仕入にかかる費用が増えた」と読み替えるよ。
慣れてくると、「商品を購入」から勘定科目の「仕入」が思い浮かぶようになるよ。

②左右の振分けルールに当てはめ、記入する側を決める

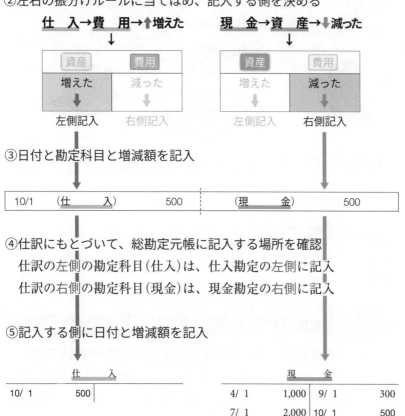

仕　入→費　用→↑増えた
↓

資産	費用
増えた	減った
↓	↓
左側記入	右側記入

現　金→資　産→↓減った
↓

資産	費用
増えた	減った
↓	↓
左側記入	右側記入

③日付と勘定科目と増減額を記入

10/1	(仕　　　入)	500	(現　　　金)	500

④仕訳にもとづいて、総勘定元帳に記入する場所を確認
　仕訳の左側の勘定科目(仕入)は、仕入勘定の左側に記入
　仕訳の右側の勘定科目(現金)は、現金勘定の右側に記入

⑤記入する側に日付と増減額を記入

仕　入

10/ 1	500	

現　金

4/ 1	1,000	9/ 1	300
7/ 1	2,000	10/ 1	500

商品を販売したらどうなる?

22 簿記を体験しよう⑤

以下の取引を仕訳して総勘定元帳に転記したらどうなる?

1月1日 クックウェア株式会社は、そば商店に商品（フライパン）800円を販売し、代金は硬貨で受け取った。

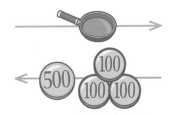

答え

1/1	（現　　金）	800	（売　　上）	800

	現　　金			売　　上	
4/ 1	1,000	9/ 1	300		1/ 1	800
7/ 1	2,000	10/ 1	500			
1/ 1	800					

解説

①取引より勘定科目（グループも確認）を考え、金額の増減を確認

　取引の「商品800円を販売」に着目し、商品の販売による稼ぎが増えたことを読み取ります。そして、商品の販売による稼ぎは売上（収益）を使います。最終的に、「売上→収益→増えた」と読み取ります。

　取引の「代金は硬貨で受け取った」に着目し、会社の現金が増えたことを読み取ります。そして、硬貨は現金（資産）を使います。

最終的に、「現金→資産→増えた」と読み取ります。

「商品を販売」を「商品の販売による稼ぎ」と読み替えるよ。
慣れてくると、「商品を販売」から勘定科目の「売上」が思い
浮かぶようになるよ。

②左右の振分けルールに当てはめ、記入する側を決める

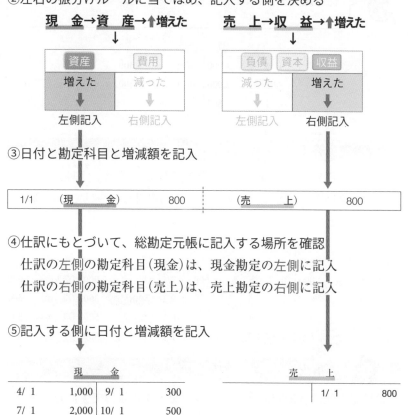

③日付と勘定科目と増減額を記入

| 1/1 | (現　　金) | 800 | (売　　上) | 800 |

④仕訳にもとづいて、総勘定元帳に記入する場所を確認

　仕訳の左側の勘定科目(現金)は、現金勘定の左側に記入

　仕訳の右側の勘定科目(売上)は、売上勘定の右側に記入

⑤記入する側に日付と増減額を記入

	現　　金				売　　上	
4/ 1	1,000	9/ 1	300		1/ 1	800
7/ 1	2,000	10/ 1	500			
1/ 1	800					

勘定科目を考えることが大変なんだよな。

23 総勘定元帳への転記（補足）

混乱しやすいところなので、後回しにしたよ！

 総勘定元帳には、日付と金額以外に記入することがあるの？

	現	金	
4/ 1	1,000	9/ 1	300
7/ 1	2,000	10/ 1	500
1/ 1	800		

答え

　はい、総勘定元帳には、日付と金額の間に相手勘定科目を記入します。相手勘定科目とは、仕訳の一方の勘定科目から見て反対側の勘定科目のことです。

		現	金		
4/ 1	資本金	1,000	9/ 1	通信費	300
7/ 1	借入金	2,000	10/ 1	仕　入	500
1/ 1	売　上	800			

4/1	（現　金）	1,000	（資本金）	1,000
7/1	（現　金）	2,000	（借入金）	2,000
9/1	（通信費）	300	（現　金）	300
10/1	（仕　入）	500	（現　金）	500
1/1	（現　金）	800	（売　上）	800

 現金の相手勘定科目を記入

解説

　総勘定元帳は各勘定の金額の増減を記入する帳簿です。たとえば、現金勘定の右側に金額があるということは、その取引で現金が減っていることを意味しています。そして、どうして現金が減ったかを相手勘定科目から読み取ることができます。

問題集
基本問題01へ

資産表じゃないよ、試算表だよ！

試算表

試算表ってなんだろう？

 答え

　試算表とは、総勘定元帳の各勘定の合計金額や残高を集計して作成する表をいいます。

解説

　試算表には、合計試算表、残高試算表、合計残高試算表の3種類があります。

　試算表は、仕訳帳から総勘定元帳への転記が正しく行われていたかどうかを検証するために使用します。

試算表は、必要に応じて、毎日、週末、月末に作成して各勘定の状況を把握することもできるわよ。

25

転記が正しく行われたかをチェック!

合計試算表の作成方法

合計試算表の作成方法は?

答え

　合計試算表は、総勘定元帳の各勘定の借方合計と貸方合計を記入します。借方合計とは借方の合計金額、貸方合計とは貸方の合計金額のことです。

 解説

　それでは、これまで作成してきた総勘定元帳の各勘定で、3月31日現在の借方合計、貸方合計を確認してみましょう。

	現　　金		
4/ 1	1,000	9/ 1	300
7/ 1	2,000	10/ 1	500
1/ 1	800		

借方合計
1,000＋2,000＋800
＝3,800

貸方合計
300＋500＝800

	借　入　金		
		7/ 1	2,000

借方合計　0　　貸方合計 2,000

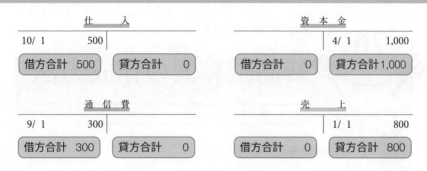

仕 入	
10/ 1 500	
借方合計 500	貸方合計 0

資 本 金	
	4/ 1 1,000
借方合計 0	貸方合計 1,000

通 信 費	
9/ 1 300	
借方合計 300	貸方合計 0

売 上	
	1/ 1 800
借方合計 0	貸方合計 800

それでは、3月31日現在の合計試算表を作成してみましょう。

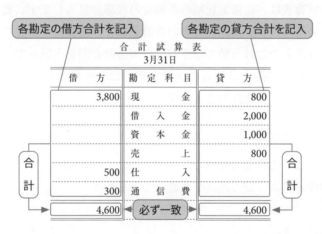

各勘定の借方合計を記入　　各勘定の貸方合計を記入

合 計 試 算 表
3月31日

借 方	勘 定 科 目	貸 方
3,800	現　　　　金	800
	借　入　金	2,000
	資　本　金	1,000
	売　　　　上	800
500	仕　　　　入	
300	通　信　費	
4,600	必ず一致	4,600

合計　　　　　　　　　　　　　　　　　　　　合計

金額が0のときは基本的に試算表に記入しなくていいわよ。

会社の経営に役立つよ!

26 残高試算表の作成方法

残高試算表の作成方法は?

答え

　残高試算表は、総勘定元帳の各勘定の残高を記入します。残高とは各勘定の借方の合計金額と貸方の合計金額との差額です。また、借方残高とは借方の合計金額のほうが貸方の合計金額を上回っているときの残高、貸方残高とは貸方の合計金額のほうが借方の合計金額を上回っているときの残高のことです。

解説

　それでは、これまで作成してきた総勘定元帳の各勘定で、3月31日現在の借方残高、貸方残高を確認してみましょう。

	現　　　金		
4/ 1	1,000	9/ 1	300
7/ 1	2,000	10/ 1	500
1/ 1	800		

借方合計3,800 ＞ 貸方合計　800

借方残高
3,800－800＝3,000

	借　入　金		
		7/ 1	2,000

借方合計　0 ＜ 貸方合計2,000

貸方残高2,000

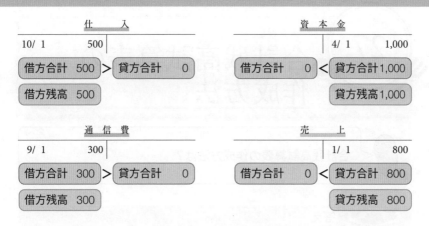

それでは、3月31日現在の残高試算表を作成してみましょう。

27 合計残高試算表の作成方法
一人二役!

> 合計残高試算表の作成方法は?

 答え

　合計残高試算表は、総勘定元帳の各勘定の借方合計、貸方合計、残高を記入します。つまり、合計試算表と残高試算表がひとまとめになった試算表です。

 解説

　それでは、これまで作成してきた総勘定元帳の各勘定で、3月31日現在の合計残高試算表を作成してみましょう。

	現　　金	
4/ 1	1,000	9/ 1　　　300
7/ 1	2,000	10/ 1　　　500
1/ 1	800	

借方合計3,800 ＞ 貸方合計　800

借方残高
3,800－800＝3,000

	借　入　金	
		7/ 1　　　2,000

借方合計　0 ＜ 貸方合計2,000

貸方残高2,000

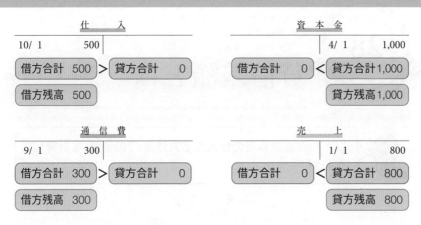

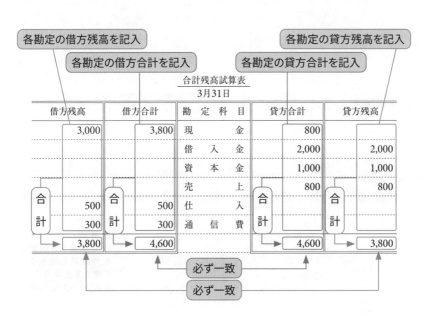

問題集
基本問題02へ

28 貸借差額とは

この技も覚えてね!

以下の残高試算表の仕入の借方残高(?の金額)を計算してみよう!

残 高 試 算 表
3月31日

借　　方	勘 定 科 目	貸　　方
3,000	現　　　　金	
	借　入　金	2,000
	資　本　金	1,000
	売　　　　上	800
?	仕　　　　入	
300	通　信　費	
?		?

答え

仕入勘定の借方残高　**500円**

解説

残高試算表の貸方欄の合計は3,800円です。この合計額が借方欄の合計にもなります。

残 高 試 算 表
3月31日

借　　方	勘 定 科 目	貸　　方
3,000	現　　　　金	
	借　入　金	2,000
	資　本　金	1,000
	売　　　　上	800
?	仕　　　　入	
300	通　信　費	
3,800		3,800

貸借差額で計算

> 試算表に限らず、後で学習する精算表や総勘定元帳でも使える技なので、マスターしよう。

そして、仕入の?の金額を計算します。

借方合計(3,000 + ? + 300) = 貸方合計3,800　→　? = 3,800 - 3,300 = 500

貸方合計　　?を除く
　　　　　　借方合計

第 2 章

簿記の基礎
（決算編）

決算は1年に1回ですが、試験だと決算に関する問題が頻繁に出てきます。

29

期中取引が終わったら、そのあとどうする?

決算

期中の取引が終わったら何をするの?

答え

　決算を行います。決算とは、帳簿をまとめて財務諸表(貸借対照表・損益計算書)を作成する手続のことです。決算の流れは次のとおりです。

| ① | 試算表の作成 |

↓

| ② | 決算整理手続 |

↓

| ③ | 決算振替手続 |

↓

| ④ | 貸借対照表・損益計算書の作成 |

解説

　①試算表の作成については、前の章で学習しました。②決算整理手続を行う前に作成した残高試算表を決算整理前残高試算表といいます。また、②決算整理手続を行った後に作成した残高試算表を決算整理後残高試算表といいます。

　②決算整理手続については、仕訳を行って、仕訳帳と総勘定元帳に記入します。

③決算振替手続についても、仕訳を行って、仕訳帳と総勘定元帳に記入します。また、仕訳を行わずに、総勘定元帳に記入するところも一部あります。

④貸借対照表・損益計算書の作成は、精算表(後で学習します)などにもとづいて作成します。

Point

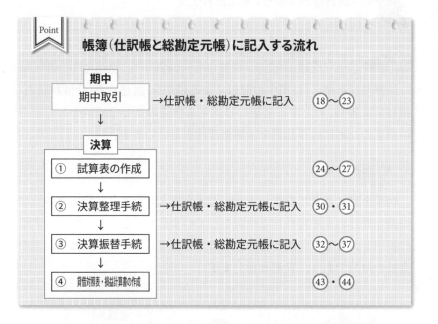

帳簿(仕訳帳と総勘定元帳)に記入する流れ

期中

期中取引　→仕訳帳・総勘定元帳に記入　⑱〜㉓

↓

決算

① 試算表の作成　㉔〜㉗

↓

② 決算整理手続　→仕訳帳・総勘定元帳に記入　㉚・㉛

↓

③ 決算振替手続　→仕訳帳・総勘定元帳に記入　㉜〜㊲

↓

④ 貸借対照表・損益計算書の作成　㊸・㊹

簿記の学習をしていると、全体の流れを忘れてしまっていることが結構あるよ。
全体の流れを復習するときには、第1章と第2章を読み返すといいよ。

30

残高の修正作業が必要ってホント？

決算整理手続とは
けっさんせいりてつづき

決算整理手続ってなんだろう？

答え

　決算整理手続とは、期中の記録による残高を、財務諸表（貸借対照表・損益計算書）に計上する金額に修正する作業のことです。そして、この修正のために行う仕訳を決算整理仕訳といいます。
けっさんせいりしわけ

解説

　切手を例に考えてみましょう。切手を購入したときに費用グループの通信費という勘定科目で仕訳をしていました。しかし、切手は実際に使用したときに費用とすべきなので、使用していない分は当期末の会社の財産であり、資産と考えます。

　したがって、切手のうち使っていない分は資産、使った分は費用に
きちんと分けるための修正作業を行うことになります。

　日商簿記3級で学習する主な決算整理手続は以下のとおりです。

日商簿記3級で学習する主な決算整理手続

- ● 売上原価の計算
- ● 減価償却費の計算
- ● 費用の前払い・収益の前受け
- ● 費用の未払い・収益の未収
- ● 通信費・租税公課の整理
- ● 現金過不足の整理
- ● 当座預金の整理
- ● 税金の処理
- ● 貸倒引当金の設定

　切手の例は、このあともう少し詳しく見ていきましょう。その他の
決算整理の詳細は、第3章以降で学習します。

使っていない分は資産に！

31 通信費(切手代)の整理

以下の資料にもとづいて、決算整理仕訳をして総勘定元帳に転記してみよう！

　3月31日、クックウェア株式会社は決算をむかえ、以前購入した切手のうち100円分が未使用で残っていたので、決算整理手続を行った。なお、決算整理を行う前の通信費勘定の残高は300円であった。

	通　信　費	
9/ 1	300	

答え

3/31	（貯　蔵　品）	100	（通　信　費）	100

	貯　蔵　品	
3/31	100	

	通　信　費		
9/ 1	300	3/31	100

解説

　切手のうち使っていない分は資産、使った分は費用にきちんと分けるための修正作業を行うことになります。

　通信費(費用)の残高は300円ですが、決算日に切手100円分が未使用で残っています。つまり、使っていない100円分の切手は資産(貯蔵品勘定を使います)ということです。

　したがって、貯蔵品(資産)NEWが100円分増えるので「貯蔵品→資産→100円分増えた」と読み取ります。

　また、使った分は当期の費用となりますが、通信費（費用）の残高に使っていない分が含まれています。したがって、使っていない分だけ費用が減るので「通信費→費用→100円分減った」と読み取ります。

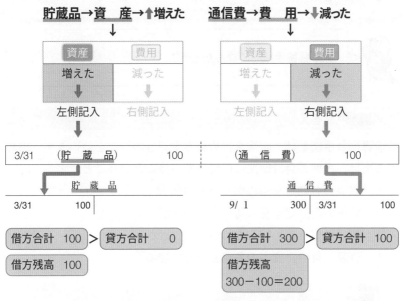

決算整理を行うことによって、使っていない分の100円が貯蔵品（資産）の残高、使った分の200円が通信費（費用）の残高になったわね。

NEW 勘定科目

ちょぞうひん
貯蔵品（資産）

　決算時に未使用の郵便切手や収入印紙がある場合は貯蔵品（資産）に記入します。

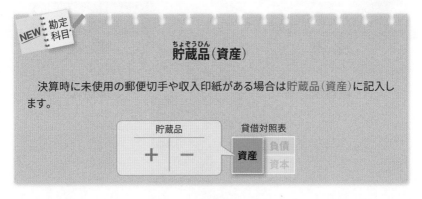

32 決算振替手続とは

いよいよ大詰め！

 決算振替手続ってなんだろう？

答え

　決算振替手続とは、帳簿を締め切る手続きのことをいいます。締め切るとは、当期の会計期間に区切りをつけるということです。

① 収益の各勘定を締め切るための仕訳
② 費用の各勘定を締め切るための仕訳
③ 損益勘定を締め切るための仕訳
④ 資産、負債、資本の各勘定を締め切る

解説

　収益と費用の各勘定を締め切るためには、収益の残高と費用の残高を損益（その他）NEW という勘定科目に移します。ある勘定の残高を他の勘定に移すことを振替えといいます。

費　用	収　益
残　高	残　高

振替え　　　　　損　益　　　　　振替え

費　用　　　収　益

　収益の残高は損益勘定の貸方に、費用の残高は損益勘定の借方に振り替えます。そうすると、損益勘定の貸借差額により、当期純利益または当期純損失を計算することができます。

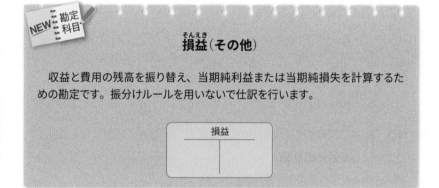

損　益

費　用	収　益
利　益 {	

※費用＜収益の場合

　また、①～③の収益・費用・損益勘定については、締め切るための仕訳を行います。「振替え」については次に説明します。

　④の資産、負債、資本の各勘定については仕訳を行わずに、勘定で締切りを行います。

NEW 勘定科目

損益（その他）

　収益と費用の残高を振り替え、当期純利益または当期純損失を計算するための勘定です。振分けルールを用いないで仕訳を行います。

損益

損益勘定は当期純利益または当期純損失を計算するためだけに用意された勘定科目で、資産、負債、資本、収益、費用のいずれのグループにも属さないぞ。

金額を移動させるテクニックだよ!

33 振替え

振替えってなんだろう?

答え

　振替えとは、ある勘定の残高(金額)を他の勘定に移すことをいいます。

解説

　たとえば、「メロン」という勘定科目の左側に残高700円があったとします。これを、「フルーツ」という勘定科目の左側に振り替える仕訳を行います(すべて説明上の勘定科目です)。

メ　ロ　ン		フ　ル　ー　ツ	
700			
借方残高		↑ココに移したい!	

Point

振替えの仕訳

残高のある勘定科目が借方残高のとき

　　{ 残高のある勘定科目は貸方(右側)に記入
　　{ 移したい勘定科目は借方(左側)に記入

残高のある勘定科目が貸方残高のとき

　　{ 残高のある勘定科目は借方(左側)に記入
　　{ 移したい勘定科目は貸方(右側)に記入

　メロン勘定は借方残高なので、残高のある勘定科目（メロン）は貸方（右側）に記入し、移したい勘定科目（フルーツ）は借方（左側）に記入します。

（フ ル ー ツ）	700	（メ ロ ン）	700

　この仕訳を転記することで、メロン勘定の残高は0円となり、フルーツ勘定の借方（左側）に700円が移りました。

	メ ロ ン				フ ル ー ツ	
	700	700			700	

　次に、「イチゴ」という勘定科目の右側に残高300円あったとします。これを「フルーツ」という勘定科目の右側に振り替えます。

	フ ル ー ツ			イ チ ゴ	
	700				300

貸方残高

　イチゴ勘定は貸方残高なので、残高のある勘定科目（イチゴ）は借方（左側）に記入し、移したい勘定科目（フルーツ）は貸方（右側）に記入します。

（イ　チ　ゴ）	300	（フ ル ー ツ）	300

　この仕訳を転記することで、イチゴ勘定の残高は0円となり、フルーツ勘定の貸方（右側）に300円が移りました。

	フ ル ー ツ				イ チ ゴ	
	700	300			300	300

34

損益勘定だよ！　収益の残高、全員集合〜！

収益の勘定の締切り

　以下の資料にもとづいて、収益の勘定の締切りの仕訳と総勘定元帳への転記をしてみよう！

　3月31日、クックウェア株式会社は決算整理手続が終了し、決算振替手続（収益の勘定の締切り）を行った。

損　　益		売　　上	
		1/ 1　　　800	貸方残高

答え

3/31	（売　　上）	800	（損　　益）	800

損　　益		売　　上	
3/31売　上　800		3/31損　益　800	1/ 1　　　800

解説

　売上勘定が貸方残高なので、「③③　振替え」のイチゴの例と考え方は同じです。売上勘定は貸方残高なので、残高のある勘定科目（売上）は借方に記入し、移したい勘定科目（損益）は貸方に記入します。

3/31	（売　　上）	800	（損　　益）	800

損　　益		売　　上	
3/31　　　800		3/31　　　800	1/ 1　　　800

　最後に、仕訳の相手勘定科目を記入します。また、売上勘定については、取引内容が1行なので、この会計期間が終了したという意味で金額の下に二重線(締切線)を引き、締め切ります。

損　　益			売　　上			
3/31売　上	800		3/31損　益	800	1/ 1	800

試験で帳簿の線の引き方を問われることはないので、覚える必要はないぞ。

Point **収益の勘定の締切りの仕訳**

(収益の勘定)	金額	(損　　益)	金額

2章
34
収益の勘定の締切り

35

損益勘定だよ！　費用の残高、全員集合〜！

費用の勘定の締切り

 以下の資料にもとづいて、費用の勘定の締切りの仕訳と総勘定元帳への転記をしてみよう！

3月31日、クックウェア株式会社は決算整理手続が終了し、決算振替手続（費用の勘定の締切り）を行った。

```
             仕     入                        損     益
10/ 1      500 |                                    | 3/31売 上    800
    借方残高
```

```
             通 信 費
9/ 1       300 | 3/31      100
    借方残高 200
```

答え

3/31	（損　　　益）	700	（仕　　　入）	500
			（通 信 費）	200

```
             仕     入                        損     益
10/ 1      500 | 3/31損 益   500      3/31仕 入    500 | 3/31売 上    800
                                      〃  通信費   200 |
```

```
             通 信 費
9/ 1       300 | 3/31      100
               | 〃  損 益   200
           300 |          300
```

解説

　費用の勘定が借方残高なので、「㉝　振替え」のメロンの例と考え方は同じです。仕入勘定・通信費勘定は借方残高なので、残高のある勘定科目(仕入・通信費)は貸方に記入し、移したい勘定科目(損益)は借方に記入します。

3/31	(損　　　益)	500	(仕　　　入)	500
	(損　　　益)	200	(通　信　費)	200

　上記の仕訳の左側に損益勘定が2つ出てきたので、1つにまとめます。

3/31	(損　　　益)	700	(仕　　　入)	500
			(通　信　費)	200

　最後に、仕訳の相手勘定科目を記入し、二重線(締切線)を引いて締め切ります。ただし、通信費勘定は貸方の取引内容が2行なので一旦金額の下に実線(合計線)を引き、その下に貸方の合計金額を書きます。また、借方の取引内容は1行なので、1行分斜め線を入れて横に実線(合計線)を引き、その下に借方の合計金額を書きます。

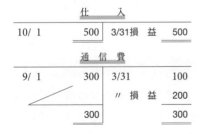

 Point

費用の勘定の締切りの仕訳

(損　　　益)	金額	(費用の勘定)	金額

以下の資料にもとづいて、損益勘定の締切りの仕訳と総勘定元帳への転記をしてみよう!

　3月31日、クックウェア株式会社は決算整理手続が終了し、決算振替手続(損益勘定の締切り)を行った。

損　　益

3/31仕　入	500	3/31売　上	800
〃　通信費	200		

貸方残高100

 答え

3/31	(損　　益)	100	(繰越利益剰余金)	100

損　　益

3/31仕　入	500	3/31売　上	800
〃　通信費	200		
〃　繰越利益剰余金	100		
	800		800

繰越利益剰余金

		3/31損　益	100

解説

　損益勘定が貸方残高なので、「③③　振替え」のイチゴの例と考え方は同じです。損益勘定は貸方残高なので、残高のある勘定科目(損益)は借方に記入し、移したい勘定科目(繰越利益剰余金)は貸方に記入します。

3/31	(損　　益)	100	(繰越利益剰余金)	100

　損益勘定が貸方残高ということは当期純利益となるので、繰越利益
剰余金（資本）が増えます。

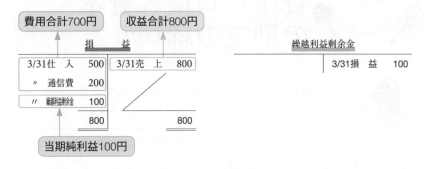

　損益勘定は借方の取引内容が3行なので、一旦金額の下に実線（合
計線）を引き、その下に借方の合計金額を書きます。また、貸方の取
引内容は1行なので、2行分斜め線を入れて横に実線（合計線）を引き、
その下に貸方の合計金額を書きます。最後に二重線（締切線）を引いて
締め切ります。

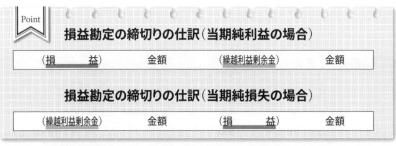

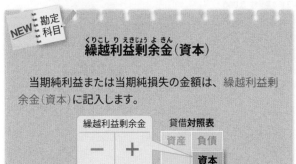

利益と損失で仕
訳の貸借が変わ
るよ。

37　資産・負債・資本の勘定の締切り

資産・負債・資本は引き継ぎがあります!

 以下の資料にもとづいて、資産、負債、資本の勘定の締切りをしてみよう!

　3月31日、クックウェア株式会社は決算整理手続が終了し、決算振替手続(資産、負債、資本の勘定の締切り)を行った。

	現　　金		
4/ 1	1,000	9/ 1	300
7/ 1	2,000	10/ 1	500
1/ 1	800		

	貯 蔵 品		
3/31	100		

	借 入 金		
		7/ 1	2,000

	資 本 金		
		4/ 1	1,000

	繰越利益剰余金		
		3/31 損 益	100

答え

	現　　金		
4/ 1	1,000	9/ 1	300
7/ 1	2,000	10/ 1	500
1/ 1	800	3/31 次期繰越	3,000
	3,800		3,800
4/ 1 前期繰越	3,000		

	貯 蔵 品		
3/31	100	3/31 次期繰越	100
4/ 1 前期繰越	100		

	借 入 金		
3/31 次期繰越	2,000	7/ 1	2,000
		4/ 1 前期繰越	2,000

	資 本 金		
3/31 次期繰越	1,000	4/ 1	1,000
		4/ 1 前期繰越	1,000

	繰越利益剰余金		
3/31 次期繰越	100	3/31 損 益	100
		4/ 1 前期繰越	100

解説

　資産、負債、資本の各勘定は仕訳を行わずに、勘定で締切りを行います。資産、負債、資本の残高は次の会計期間に繰り越します。繰り越すとは、引き継ぐということです。また、次の会計期間に繰り越す金額を次期繰越額といいます。

　各勘定を締め切る直前の残高が次期繰越額です。現金勘定は借方残高3,000円なので、この金額を貸方(右側)に記入します。

	現	金	
4/ 1	1,000	9/ 1	300
7/ 1	2,000	10/ 1	500
1/ 1	800	3/31	3,000 ←ここに記入

　こうすることで、現金勘定の借方合計と貸方合計が一致し、締め切ることができます。また、日付と金額の間に次期繰越と記入します。さらに、次期繰越の反対側に前期繰越として残高の繰越記入をします。

	現	金	
4/ 1	1,000	9/ 1	300
7/ 1	2,000	10/ 1	500
1/ 1	800	3/31 次期繰越	3,000
	3,800		3,800
4/ 1 前期繰越	3,000		

　現金以外の他の勘定も同様に記入します。この次期繰越、前期繰越を用いて帳簿を締め切る方法を英米式決算法といいます。

38 精算表とは

決算の一覧表だよ！

精算表って何だろう？

答え

精算表は残高試算表と決算整理事項から損益計算書と貸借対照表を作成する流れを一覧表にしたものです。

解説

精算表の形式は以下のとおりです。

精 算 表

勘 定 科 目	残高試算表		修 正 記 入		損益計算書（費用／収益）		貸借対照表（資産／負債・資本）	
	借方	貸方	借方	貸方	借方	貸方	借方	貸方
現　　　金	3,000						3,000	
借　入　金		2,000						2,000
資　本　金		1,000						1,000
売　　　上		800				800		
仕　　　入	500				500			
通　信　費	300			100	200			
	3,800	3,800						
貯　蔵　品			100				100	
当 期 純 利 益					100			100
			100	100	800	800	3,100	3,100

残高試算表欄…決算整理を行う前の残高試算表の金額を記入します。借方欄に借方残高、貸方欄に貸方残高を記入します。

試験ではすでに記入されているよ。

修正記入欄…決算整理仕訳を記入します。借方欄には仕訳の借方（左側）の金額、貸方欄には仕訳の貸方（右側）の金額を記入します。

決算整理で新たに出てきた勘定科目は勘定科目欄に追加します。決算整理仕訳の記入が終わったら、借方欄の合計金額と貸方欄の合計金額が一致していることを確認してね。

損益計算書欄…借方欄には費用、貸方欄には収益の金額を集計します。

間違って、資産・負債・資本を損益計算書欄に記入してはイカン！

貸借対照表欄…借方欄に資産、貸方欄に負債・資本の金額を集計します。

間違って、収益・費用を貸借対照表欄に記入しちゃダメだよ！

当期純利益…損益計算書欄の収益合計から費用合計を差し引いて計算します。当期純利益の場合、損益計算書欄の借方欄と貸借対照表欄の貸方欄に金額を記入します。当期純損失の場合、損益計算書欄の貸方欄と貸借対照表欄の借方欄に金額を記入します。

最後に、損益計算書欄の借方欄の合計と貸方欄の合計の一致、貸借対照表欄の借方欄の合計と貸方欄の合計の一致を確認しよう。

39

残高試算表の借方欄と勘定科目欄を入れ替えると…!

精算表の作成①

以下の資料にもとづいて、精算表の残高試算表欄に記入してみよう!

　3月31日、クックウェア株式会社は決算をむかえ、決算整理前残高試算表にもとづいて精算表の残高試算表欄に記入した。

残　高　試　算　表
3月31日

借　　方	勘　定　科　目	貸　　方
3,000	現　　　　　金	
	借　　入　　金	2,000
	資　　本　　金	1,000
	売　　　　　上	800
500	仕　　　　　入	
300	通　　信　　費	
3,800		3,800

答え

精　算　表

勘　定　科　目	残高試算表		修正記入		損益計算書		貸借対照表	
	借方	貸方	借方	貸方	借方	貸方	借方	貸方
現　　　　　金	3,000							
借　　入　　金		2,000						
資　　本　　金		1,000						
売　　　　　上		800						
仕　　　　　入	500							
通　　信　　費	300							
	3,800	3,800						

解説

残高試算表の借方欄と勘定科目欄を入れ替えてみましょう。

残 高 試 算 表
3月31日

借　方	勘 定 科 目	貸　方
3,000	現　　　　金	
	借　入　金	2,000
	資　本　金	1,000
	売　　　　上	800
500	仕　　　　入	
300	通　信　費	
3,800		3,800

残 高 試 算 表
3月31日

勘 定 科 目	借　方	貸　方
現　　　　金	3,000	
借　入　金		2,000
資　本　金		1,000
売　　　　上		800
仕　　　　入	500	
通　信　費	300	
	3,800	3,800

借方欄と勘定科目欄を入れ替えた残高試算表と精算表の勘定科目欄・残高試算表欄の部分を見比べてみよう。

40 精算表の作成②

修正記入欄に決算整理仕訳を記入しよう！

せい　さん　ひょう　　　　　　さく　せい

以下の資料にもとづいて、精算表の修正記入欄に記入してみよう！

　3月31日、クックウェア株式会社は決算をむかえ、精算表の作成を行った。決算整理仕訳を修正記入欄に記入する。

| 3/31 | （貯　蔵　品） | 100 | （通　信　費） | 100 |

答え

精　算　表

勘 定 科 目	残高試算表		修 正 記 入		損益計算書		貸借対照表	
	借方	貸方	借方	貸方	借方	貸方	借方	貸方
現　　　　　金	3,000							
借　　入　　金		2,000						
資　　本　　金		1,000						
売　　　　　上		800						
仕　　　　　入	500							
通　　信　　費	300			100				
	3,800	3,800						
貯　　蔵　　品			100					
			100	100				

解説

　　仕訳の貸方(右側)の「通信費　100」は、通信費の行の修正記入欄の貸方欄に記入します。

　　仕訳の借方(左側)の「貯蔵品　100」は貯蔵品が期中では登場せず、決算整理仕訳で初めて登場するので、勘定科目欄に追加します。そして、貯蔵品の行の修正記入欄の借方欄に記入します。

　　修正記入欄にすべての決算整理仕訳を記入したら、借方欄と貸方欄の合計を一番下の行に記入し、一致を確認します。

精　算　表

勘 定 科 目	残高試算表		修 正 記 入		損益計算書		貸借対照表	
	借方	貸方	借方	貸方	借方	貸方	借方	貸方
現　　　　金	3,000							
借　入　金		2,000						
資　本　金		1,000						
売　　　上		800						
仕　　　入	500							
通　信　費	300			100				
	3,800	3,800						
貯　蔵　品			100					
			100	100				

修正記入欄の集計も楽勝だよ！

精算表の作成③

以下の資料にもとづいて、精算表の損益計算書欄、貸借対照表欄に記入してみよう！

　3月31日、クックウェア株式会社は決算をむかえ、精算表の作成を行った。損益計算書欄、貸借対照表欄の金額を集計する。

答え

精　算　表

勘　定　科　目	残高試算表		修　正　記　入		損益計算書		貸借対照表	
	借方	貸方	借方	貸方	借方	貸方	借方	貸方
現　　　　金	3,000						3,000	
借　入　金		2,000						2,000
資　本　金		1,000						1,000
売　　　　上		800				800		
仕　　　　入	500				500			
通　信　費	300			100	200			
	3,800	3,800						
貯　蔵　品			100				100	
			100	100				

解説

　残高試算表欄の金額に修正記入欄の金額を加減して損益計算書欄、貸借対照表欄に記入します。

　修正記入欄の金額をプラスするか、マイナスするかは、左右の振分けルールで簡単に分かります。

　たとえば、資産が増えたら左側記入だったので、逆にたどると、左側記入（借方欄に記入）だったら資産が増えていることになります。他の費用、負債、資本、収益も同様のことがいえます。

本問の通信費は、費用で右側記入（貸方欄に記入）だから、費用は減っているよね。だから、マイナスになるよ。

精　算　表

勘 定 科 目	残高試算表		修 正 記 入		損益計算書		貸借対照表	
	借方	貸方	借方	貸方	借方	貸方	借方	貸方
現　　　　金	3,000						3,000	
借　入　金		2,000						2,000
資　本　金		1,000						1,000
売　　　上		800				800		
仕　　　入	500				500			
通　信　費	300			⊖100	200			
	3,800	3,800						
貯　蔵　品			100				100	
			100	100				

資産、負債、資本は貸借対照表欄、収益、費用は損益計算書欄にきちんと記入するようにしよう。

42

最後に利益を計算するよ!

精算表の作成④

以下の資料にもとづいて、精算表の当期純利益を計算して記入してみよう!

3月31日、クックウェア株式会社は決算をむかえ、精算表の作成を行った。当期純利益を計算する。

答え

精　算　表

勘 定 科 目	残高試算表		修 正 記 入		損益計算書		貸借対照表	
	借方	貸方	借方	貸方	借方	貸方	借方	貸方
現　　　　金	3,000						3,000	
借　入　金		2,000						2,000
資　本　金		1,000						1,000
売　　　　上		800				800		
仕　　　　入	500				500			
通　信　費	300			100	200			
	3,800	3,800						
貯　蔵　品			100				100	
当 期 純 利 益					100			100
			100	100	800	800	3,100	3,100

 解説

　損益計算書欄の借方欄の合計は費用合計、貸方欄の合計は収益合計となります。したがって、収益合計と費用合計の差額により、当期純利益または当期純損失を計算することができます。

精 算 表

勘 定 科 目	残高試算表		修 正 記 入		損益計算書		貸借対照表	
	借方	貸方	借方	貸方	借方	貸方	借方	貸方
現　　　　金	3,000						3,000	
借　入　金		2,000						2,000
資　本　金		1,000						1,000
売　　　　上		800				800		
仕　　　　入	500				500			
通　信　費	300			100	200			
	3,800	3,800						
貯　蔵　品			100				100	
当 期 純 利 益					100			100
			100	100	800	800	3,100	3,100

費用合計
700

収益合計

$$800 - 700 = 100　（当期純利益）$$

当期純利益のときは損益計算書欄の借方欄、貸借対照表欄の貸方欄に記入するよ。
当期純損失のときは損益計算書欄の貸方欄、貸借対照表欄の借方欄に記入するよ。

最後に、損益計算書欄の借方欄と貸方欄の合計金額の一致、貸借対照表欄の借方欄と貸方欄の合計金額の一致を確認しよう。

問題集
基本問題03へ

43

当期はどれだけ儲けたかな？

損益計算書の作成

 以下の精算表にもとづいて、損益計算書を作成してみよう！

精　算　表

勘　定　科　目	残高試算表		修　正　記　入		損益計算書		貸借対照表	
	借方	貸方	借方	貸方	借方	貸方	借方	貸方
現　　　　金	3,000						3,000	
借　入　金		2,000						2,000
資　本　金		1,000						1,000
売　　　　上		800				800		
仕　　　　入	500				500			
通　信　費	300			100	200			
	3,800	3,800						
貯　蔵　品			100				100	
当 期 純 利 益					100			100
			100	100	800	800	3,100	3,100

答え

損　益　計　算　書
クックウェア株式会社　　4月1日～3月31日

費　　用	金　　額	収　　益	金　　額
仕　　　　入	500	売　　　　上	800
通　信　費	200		
当 期 純 利 益	100		
	800		800

解説

　精算表の損益計算書欄の金額にもとづいて、損益計算書を作成することができます。また、損益計算書には会計期間を記載します。

　損益計算書は、決算整理後残高試算表からも作成することができますが、精算表がその役割を果たしています。

　精算表の残高試算表欄の金額に、修正記入欄の金額を加減したものが、決算整理後残高試算表の金額になります。その金額を損益計算書欄に記入するからです。

2章
43 損益計算書の作成

精 算 表

勘 定 科 目	残高試算表		修 正 記 入		損益計算書		貸借対照表	
	借方	貸方	借方	貸方	借方	貸方	借方	貸方
現　　　　金	3,000						3,000	
借　入　金		2,000						2,000
資　本　金		1,000						1,000
売　　　上		800				800		
仕　　　入	500				500			
通　信　費	300			100	200			
	3,800	3,800						
貯　蔵　品			100				100	
当 期 純 利 益					100			100
			100	100	800	800	3,100	3,100

損 益 計 算 書

クックウェア株式会社　[4月1日〜3月31日]　会計期間

費　　用	金　　額	収　　益	金　　額
仕　　　入	500	売　　　上	800
通　信　費	200		
当 期 純 利 益	100		
	800		800

必ず一致

日商簿記検定（統一試験）では、黒の鉛筆またはシャープペンシルを使用するから、損益計算書の当期純利益を赤字記入する必要ないよ。
（ほんとは、赤字で書くことがルールなんだけどね）

44

決算日に現金はどれだけ残っているかな？

貸借対照表の作成

 以下の精算表にもとづいて、貸借対照表を作成してみよう！

精 算 表

勘 定 科 目	残高試算表		修 正 記 入		損益計算書		貸借対照表	
	借方	貸方	借方	貸方	借方	貸方	借方	貸方
現　　　金	3,000						3,000	
借　入　金		2,000						2,000
資　本　金		1,000						1,000
売　　　上		800				800		
仕　　　入	500				500			
通　信　費	300			100	200			
	3,800	3,800						
貯　蔵　品			100				100	
当 期 純 利 益					100			100
			100	100	800	800	3,100	3,100

答え

貸 借 対 照 表

クックウェア株式会社　　　3月31日

資　　　産	金　額	負債・純資産	金　額
現　　　金	3,000	借　入　金	2,000
貯　蔵　品	100	資　本　金	1,000
		繰越利益剰余金	100
	3,100		3,100

解説

　精算表の貸借対照表欄の金額にもとづいて、貸借対照表を作成することができます。また、貸借対照表には決算日を記載します。

　貸借対照表は、決算整理後残高試算表からも作成することができますが、精算表がその役割を果たしています。

　精算表の残高試算表欄の金額に、修正記入欄の金額を加減したものが、決算整理後残高試算表の金額になります。その金額を貸借対照表欄に記入するからです。

2章

44　貸借対照表の作成

精 算 表

勘 定 科 目	残高試算表		修 正 記 入		損益計算書		貸借対照表	
	借方	貸方	借方	貸方	借方	貸方	借方	貸方
現　　　　金	3,000						3,000	
借　入　金		2,000						2,000
資　本　金		1,000						1,000
売　　　　上		800				800		
仕　　　　入	500				500			
通　信　費	300			100	200			
	3,800	3,800						
貯　蔵　品			100				100	
当 期 純 利 益					100			100
			100	100	800	800	3,100	3,100

貸 借 対 照 表

クックウェア株式会社　　　　3月31日

資　　　産	金　　額	負債・純資産	金　　額
現　　　　金	3,000	借　入　金	2,000
貯　蔵　品	100	資　本　金	1,000
		繰越利益剰余金	100
	3,100		3,100

必ず一致

貸借対照表に「純資産（じゅんしさん）」ってあるけど、「資本」と同じものと考えよう！

問題集
基本問題04へ

45

財務諸表が出来上がるまでの流れをイメージしよう!

1年間の簿記の流れ

1年間の簿記の流れを確認しておこう!

答え

　会計期間の期中は会社の取引(簿記上の取引)を帳簿(仕訳帳と総勘定元帳)に記入します。そして、会計期間の期末(決算日)をむかえると会計期間の最後の締めくくりである決算を行います。

解説

　商品を仕入れたり、売ったり、家賃・電話代・電気代・水道代を払ったりした期中取引を帳簿に記入する作業が1年のほとんどを占めます。

第3章

しょう ひん ばい ばい
商品売買

第3章では、商品売買についてみていきます。期中の取引と決算整理手続
をきちんと区別してください。

掛けはツケのこと!　日常では使わないですよね!

<ruby>買<rt>かい</rt></ruby><ruby>掛<rt>かけ</rt></ruby><ruby>金<rt>きん</rt></ruby>とは

買掛金ってなんだろう?

答え

「代金は後でまとめて払いますよ〜」というものが<ruby>掛<rt>か</rt></ruby>けです。簿記ではよく使う用語です。一般的には、ツケのことですね。取引先から<ruby>頻<rt>ひん</rt></ruby><ruby>繁<rt>ばん</rt></ruby>に商品を仕入れているときは、月末などに一括して商品代金を支払うことがあります。月末などに一括して支払う商品代金を買掛金といいます。また、このような取引を<ruby>掛<rt>か</rt></ruby>け取引といいます。

> 掛け取引は取引先との信頼関係(信用)にもとづいて行われるんじゃ。だから、信用を得るまで掛け取引はしてもらえんぞ。

解説

勘定科目は買掛金(負債) NEW を用いて記帳します。

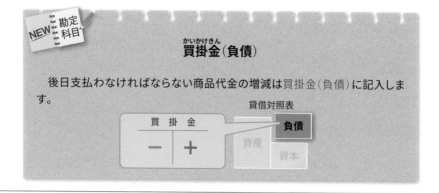

NEW 勘定科目

<ruby>買掛金<rt>かいかけきん</rt></ruby>(負債)

後日支払わなければならない商品代金の増減は買掛金(負債)に記入します。

貸借対照表

買　掛　金	
−	＋

負債

資産

資本

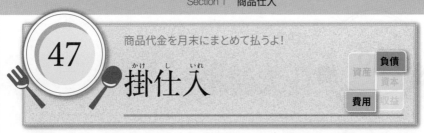

47

商品代金を月末にまとめて払うよ!

掛仕入
かけ　し　いれ

負債
資産　資本
費用　収益

掛けで商品を仕入れたときの仕訳をしてみよう!

クックウェア株式会社は、アヒー商店より商品600円を仕入れ、代金は掛けとした。

代金はまた今度ね

3章
47 掛仕入

答え

（仕　　入）	600	（買　掛　金）	600

　解説

商品代金を掛けとしたときは、後日支払わなければならない商品代金が増えるので、買掛金(負債)が増えます。

商品を仕入れたときは、仕入(費用)が増えます。

仕　　　　入→費　用→↑増えた　買　掛　金→負　債→↑増えた

NEW 勘定科目

仕入(費用)
しいれ

商品を仕入れるためにかかる費用の増減は仕入(費用)に記入します。

仕	入
＋	－

損益計算書
費用　収益

問題集
基本問題05へ

48

商品を引き取るときの送料はどうする？

仕入諸掛

資産　負債
　　　資本
費用　収益

商品を仕入れたときに、運賃を支払った場合の仕訳をしてみよう！

クックウェア株式会社は、クス商店より商品600円を仕入れ、代金は掛けとした。なお、当社が負担する運賃10円は現金で支払った。

代金はまた今度ね

答え

(仕 入)	610	(買 掛 金)	600
		(現 金)	10

解説

商品を仕入れたときは、仕入(費用)が増えます。

仕入諸掛とは、運送料、保険料、手数料などの仕入にかかわる費用のことです。仕入諸掛を当社(自分の会社)が負担するときは、商品を仕入れるためにかかった費用(仕入原価または取得原価という)の一部と考え、仕入(費用)に含めます。

仕入原価：600円＋10円＝610円

仕入諸掛を当社が負担するときは、商品を仕入れるためにかかった金額の一部と考え、仕入(費用)に含めるよ。

3章
48
仕入諸掛

仕入諸掛について、試験問題に負担についての指示がなくても、当社負担として仕入（費用）に含めるよ。

代金を掛けとしたときは、買掛金（負債）が増えます。
現金を支払ったときは、現金（資産）が減ります。

仕　　　入 → 費　用 → ↑増えた	買　掛　金 → 負　債 → ↑増えた
	現　　　金 → 資　産 → ↓減った

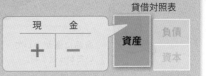

NEW 勘定科目

現金（資産）

硬貨や紙幣、通貨代用証券（後ほど説明）の増減は現金（資産）に記入します。

貸借対照表

現　　金		資産	負債
＋	－		資本

右側に勘定科目が2つ出てきたけど、上下の記入順序は自由だよ。次の仕訳でもOK！

（仕　　　入）	610	（現　　　金）	10
		（買　掛　金）	600

商品を仕入れる取引先を仕入先といいます。

仕入先
アヒー商店

クス商店

商品を販売する取引先を得意先といいます。

得意先
カツ商店

そば商店

仕入れた商品に傷がついていたらどうする?

49 仕入れた商品の返品

資産／負債／資本／費用／収益

商品を返品したときの仕訳をしてみよう!

　クックウェア株式会社は、アヒー商店より仕入れた商品600円に傷がついていたので、アヒー商店に返品し、掛け代金を減額した。

商品に傷がついていたから返すね。

答え

（買　掛　金）	600	（仕　　　入）	600

 解説

　商品を返品したときは、商品を仕入れるためにかかる費用が減ったので、仕入(費用)が減ります。

　掛け代金を減額したときは、後日支払わなければならない商品代金が減ったので、買掛金(負債)が減ります。

買　掛　金 → 負　債 → ↓減った　　仕　　　入 → 費　用 → ↓減った

仕入れた商品の返品は、仕入れの逆の行為だから、仕訳は貸借逆になるよ。

問題集
基本問題06へ

商品を売ったときの掛けだよ！

50 売掛金とは

資産　負債　資本　費用　収益

売掛金ってなんだろう？

答え

得意先に頻繁に商品を販売しているときは、月末などに一括して商品代金を受け取ることがあります。月末などに一括して受け取る商品代金を売掛金といいます。

会社を運営するには、売掛金の回収までの期間を短く、買掛金の支払いまでの期間を長く、がセオリーじゃぞ。

解説

勘定科目は売掛金（資産） を用いて記帳します。

NEW 勘定科目

売掛金（資産）

後日受け取ることができる商品代金の増減は売掛金（資産）に記入します。

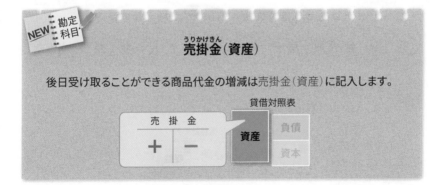

51

商品をツケで販売したらどうなる？

掛売上

資産	負債
	資本
費用	収益

掛けで商品を販売したときの仕訳をしてみよう！

クックウェア株式会社は、カツ商店に商品800円を販売し、代金は掛けとした。

代金はまた今度じゃ

　答え

（売　掛　金）	800	（売　　　上）	800

解説

商品代金を掛けとしたときは、後日受け取ることができる商品代金が増えるので、売掛金（資産）が増えます。

商品を販売したときは、売上（収益）🆕が増えます。

売　掛　金 → 資　産 → ⬆増えた　売　　上 → 収　益 → ⬆増えた

NEW こ勘定
科目

売上（収益）

商品の販売による稼ぎの増減は売上（収益）に記入します。

損益計算書

売	上
－	＋

費用	収益

3章
51
掛売上

52

実は、会社が損してる？

クレジットカード による売上

クレジットカード払いの条件（手数料はかかるけど代金回収は安心）で商品を販売したときの仕訳をしてみよう！

クックウェア株式会社は、クレジットカード払いの条件で、カツ商店に商品800円を販売した。なお、カード会社への手数料は販売代金の5%（40円）であり、販売時に支払手数料（費用）NEW として処理する。

答え

（クレジット売掛金）	760	（売　　　　上）	800
（支払手数料）	40		

解説

クレジットカード払いの条件で商品を販売したときは、カード会社に対する掛けとなり、手数料を差し引いた額（800円 − 40円 = 760円）のクレジット売掛金（資産）NEW が増えます。

クレジット売掛金 → 資　産 → ↑増えた　売　　　　上 → 収　益 → ↑増えた
支払手数料 → 費　用 → ↑増えた

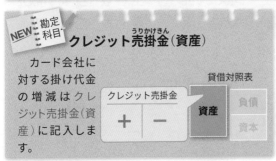

NEW 勘定科目

クレジット売掛金（資産）

カード会社に対する掛け代金の増減はクレジット売掛金（資産）に記入します。

貸借対照表

クレジット売掛金	
＋	－

資産　負債　資本

問題集
基本問題07へ

受け取る対価の額（総額）を売上に!

発送費
はっ そう ひ

	負債
資産	資本
費用	収益

商品を販売したときに、運賃を支払ったときの仕訳をしてみよう!

クックウェア株式会社は、そば商店に商品800円を販売し、送料10円を加えた合計額を掛けとした。また、同時に配送業者へ商品を引き渡し、運賃10円は現金で支払った。

答え

（売　掛　金）	810	（売　　　　上）	810
（発　送　費）	10	（現　　　　金）	10

解説

商品を販売し、発送にかかった運賃を支払ったときは、発送費（費用）
NEWが増えます。

売　掛　金 → 資　産 → ↑増えた　売　　　　上 → 収　益 → ↑増えた
発　送　費 → 費　用 → ↑増えた　現　　　　金 → 資　産 → ↓減った

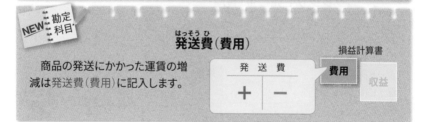

NEW 勘定科目

発送費（費用）
はっそう ひ

商品の発送にかかった運賃の増減は発送費（費用）に記入します。

損益計算書

発　送　費	
＋	－

費用
収益

54

販売した商品に傷がついていたらどうする？

売上返品
うり あげ へん ぴん

	負債
資産	
	資本
費用	**収益**

商品を返品されたときの仕訳をしてみよう！

　クックウェア株式会社は、カツ商店に販売した商品800円に傷がついていたので、カツ商店より返品され、掛け代金を減額した。

ごめんなさい…　　傷がついておったぞ！

　答え

| （売　　　上） | 800 | （売　掛　金） | 800 |

解説

　商品を返品されたときは、商品の販売による稼ぎが減ったので、売上（収益）が減ります。

　掛け代金を減額したときは、後日受け取ることができる商品代金が減ったので、売掛金（資産）が減ります。

| 売　　　　　上 → 収　益 → ⬇減った | 売　掛　金 → 資　産 → ⬇減った |

売り上げた商品の返品は、売上の逆の行為だから、仕訳は貸借逆になるよ。

問題集
基本問題08へ

商品を受け取る前に代金の一部を払ったよ！

55 手付金・内金を支払ったとき

商品代金の一部を先に支払ったときの仕訳をしてみよう！

クックウェア株式会社は、アヒー商店に商品代金の一部100円を手付金として現金で支払った。

手付金を払っておくね！

(100)

答え

（前　払　金）	100	（現　　　金）	100

解説

手付金・内金を支払ったときは、商品を後日受け取ることができる権利が増えるので、前払金（資産）が増えます。

前　払　金→資　産→↑増えた　現　　　金→資　産→↓減った

商品を受け取る権利や商品を引き渡す義務も簿記上の取引となり、帳簿に記入することになります。

NEW 勘定科目

前払金（資産）まえばらいきん

商品を後日受け取ることができる権利の増減は前払金（資産）に記入します。

貸借対照表

前　払　金	
＋	－

資産

負債

資本

56 手付金・内金を支払った商品を受け取ったとき

前もって商品代金の一部を支払っていたよね!

資産	負債
	資本
費用	収益

前払い(一部)していた商品を仕入れたときの仕訳をしてみよう!

クックウェア株式会社は、アヒー商店より商品600円を仕入れ、代金のうち100円は手付金を充当し、残額は掛けとした。

手付金を差し引いた500円はまた今度払うね!

 答え

(仕　　入)	600	(前 払 金)	100
		(買 掛 金)	500

解説

手付金・内金を充当したときは、商品を後日受け取ることができる権利がなくなったので、前払金(資産)が減ります。

商品代金を掛けとしたときは、後日支払わなければならない商品代金が増えるので、買掛金(負債)が増えます。

仕　　　　入→費　用→↑増えた	前　払　金→資　産→↓減った
	買　掛　金→負　債→↑増えた

問題集
基本問題09へ

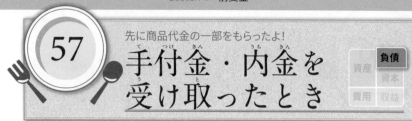

57 先に商品代金の一部をもらったよ！
手付金・内金を受け取ったとき

資産　**負債**　資本　費用　収益

商品代金の一部を先に受け取ったときの仕訳をしてみよう！

　クックウェア株式会社は、カツ商店より商品代金の一部100円を手付金として現金で受け取った。

手付金100円を払っちゃる！

答え

（現　　金）	100	（前　受　金）	100

解説

　手付金・内金を受け取ったときは、商品を後日引き渡す義務が増えるので、前受金(負債)が増えます。

現　　　金 → 資　産 → ↑増えた　前　受　金 → 負　債 → ↑増えた

NEW 勘定科目

まえうけきん
前受金(負債)

　商品を後日引き渡す義務の増減は前受金(負債)に記入します。

前　受　金	
－	＋

貸借対照表

資産　**負債**　資本

58

手付金を受け取った商品を渡したよ！

手付金・内金を受け取った商品を販売したとき

資産	負債
	資本
費用	収益

前受け（一部）していた商品を販売したときの仕訳をしてみよう！

　クックウェア株式会社は、カツ商店に商品800円を販売し、代金のうち100円は手付金を充当し、残額は掛けとした。

手付金を差し引いた700円は今度払っちゃる！

答え

（前　受　金）	100	（売　　　上）	800
（売　掛　金）	700		

解説

　手付金・内金を充当したときは、商品を後日引き渡す義務が減ったので、前受金（負債）が減ります。

　商品代金を掛けとしたときは、後日受け取ることができる商品代金が増えるので、売掛金（資産）が増えます。

前　受　金→負　債→↓減った　売　　　上→収　益→↑増えた
売　掛　金→資　産→↑増えた

問題集
基本問題10へ

商品券を受け取ったよ！

商品券を
受け取ったとき

資産

商品券を受け取って商品を販売したときの仕訳をしてみよう！

クックウェア株式会社は、カツ商店に商品800円を販売し、代金として自治体発行の商品券800円を受け取った。

使えるよ！

この商品券は使えるかい？

商品券
800円

答え

（受取商品券）	800	（売　　上）	800

解説

商品券を受け取ったときは、商品券の金額を発行元に請求できる権利が増えるので、受取商品券（資産）が増えます。

受取商品券 → 資　産 → ↑増えた　売　　　　上 → 収　益 → ↑増えた

全国百貨店共通商品券などもあるぞ！

受取商品券（資産）

商品券の金額を発行元に請求できる権利の増減は受取商品券（資産）に記入します。

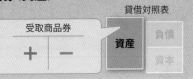

貸借対照表

受取商品券	
＋	－

資産	負債
	資本

Point

受け取った商品券は、発行元に引き渡して換金請求します。

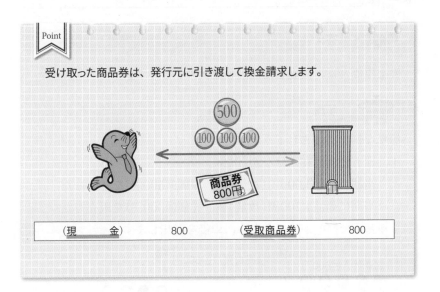

| （現　　金） | 800 | （受取商品券） | 800 |

問題集
基本問題11へ

儲けをきちんと計算するためには売上原価が必要!

売上原価とは

売上原価ってなんだろう?

答え

売上原価とは、販売した商品の原価のことです。

解説

簡単な例をあげましょう。

① 期首に商品在庫はなかった

② 当期に商品3,000円(数量5個、原価@600円)を仕入れた

③ 当期に商品3,200円(数量4個、売価@800円)を販売した

※簿記で「@」が出てきたら、単価を意味します。

| 当期仕入@600円 | → 売れ残り@600円 |
| → 当期販売@600円 |

まず、売上原価(販売した商品の原価)を計算します。

@600円×4個＝2,400円

そして、売上高(販売した商品の売価)から売上原価を差し引くことで売上総利益(商品自体から得られた儲け)を計算します。

3,200円－2,400円＝800円

売上高から当期の仕入原価を差し引かないように注意が必要だぜ。
「売上高－売上原価＝売上総利益」

61

商品を仕入れたり、販売したりする取引！

3分法とは

資産	負債
	資本
費用	収益

3分法ってなんだろう？

答え

3分法とは、商品を仕入れたり、販売したりする取引（商品売買取引）を、仕入（費用）、売上（収益）、繰越商品（資産）の3つの勘定を用いて記帳する方法です。今まで学習してきた方法は、この3分法になります。

解説

繰越商品（資産）は決算整理手続で使用する勘定科目です。詳細についてはこのあと説明します。

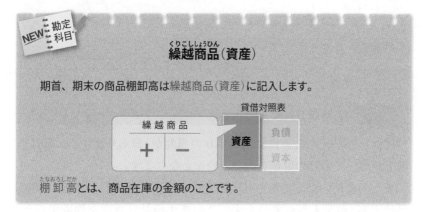

NEW 勘定科目

繰越商品（資産）

期首、期末の商品棚卸高は繰越商品（資産）に記入します。

貸借対照表

繰越商品	
＋	－

資産	負債
	資本

棚卸高とは、商品在庫の金額のことです。

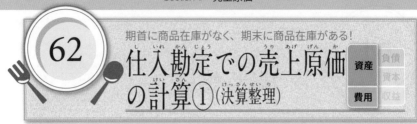

62 期首に商品在庫がなく、期末に商品在庫がある！
仕入勘定での売上原価の計算①（決算整理）

資産	負債
	資本
費用	収益

以下の資料にもとづいて、仕入勘定で売上原価を計算するための決算整理仕訳をしてみよう！

クックウェア株式会社は、決算をむかえ、売上原価を計算するための決算整理を行う。当期の商品売買に関する資料は以下のとおりである。

当期の仕入原価　　3,000円（数量5個、原価@600円）
期末商品棚卸高　　　600円（数量1個、原価@600円）
当期の売上高　　　3,200円（数量4個、売価@800円）

なお、期首に商品棚卸高はなかった。

仕　　　入		売　　　上	
3,000			3,200

答え

（繰越商品）	600	（仕　　　入）	600

解説

決算をむかえたときに、売れ残りの商品が1個あります。これは当期末において会社の財産なので、資産となります。

また、費用の勘定である仕入勘定には当期に仕入れた原価（当期商品仕入高）が記入されています。このまま損益計算書を作成すると、商品4個分の売価と商品5個分の仕入原価を用いて儲けを計算してしまうことになります。

3章
62
仕入勘定での売上原価の計算①（決算整理）

　しかし、きちんと儲けを計算するためには、商品4個分の売価と原価の差額で計算する必要があります。

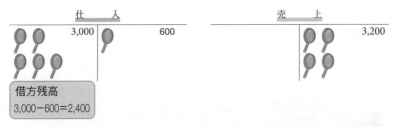

4個分の売価　　　　4個分の原価　　　　4個分の利益
（売上高）　　　　　（売上原価）　　　　（売上総利益）

　したがって、決算整理によって、仕入勘定にある当期の仕入原価を、当期の費用である売上原価に修正しなければなりません。

　売れ残り分は当期末の資産としての商品棚卸高が増えるので、繰越商品（資産）が増えます。また、売れ残り分は当期の費用にはならないので、仕入（費用）が減ります。

繰越商品→資　産→↑増えた　仕　　　入→費　用→↓減った

　決算整理後の各勘定を確認してみましょう。

仕　　入		売　　上	
3,000	600		3,200

借方残高
3,000－600＝2,400

決算整理後は、仕入勘定の残高は販売された4個分の原価（売上原価）に修正されているよ。

繰越商品	
600	

借方残高　600

繰越商品勘定の残高は1個分の原価（期末商品棚卸高）になるぞ。

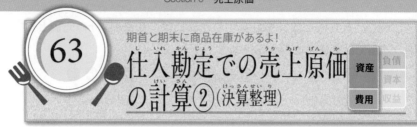

63

期首と期末に商品在庫があるよ！

仕入勘定での売上原価の計算②（決算整理）

資産　負債
　　　資本
費用　収益

 以下の資料にもとづいて、仕入勘定で売上原価を計算するための決算整理仕訳をしてみよう！

　クックウェア株式会社は、決算をむかえ、売上原価を計算するための決算整理を行う。当期の商品売買に関する資料は以下のとおりである。

　　期首商品棚卸高　　600円（数量1個、原価@600円）
　　当期の仕入原価　　2,000円（数量4個、原価@500円）
　　期末商品棚卸高　　1,000円（数量2個、原価@500円）
　　当期の売上高　　　2,400円（数量3個、売価@800円）

答え

| （仕　　入） | 600 | （繰 越 商 品） | 600 |
| （繰 越 商 品） | 1,000 | （仕　　入） | 1,000 |

 解説

　今回の例は期首にも商品在庫がある場合です。

　まず、期首の商品在庫ですが、期中に売れて資産が減ったと考えて、繰越商品（資産）が減ります。そして、売れたら当期の費用となるので、仕入（費用）が増えます。

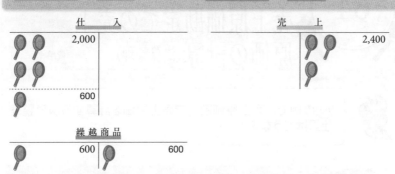

仕　　　　入→費　用→↑増えた　繰越商品→資　産→↓減った

	仕　　入		売　　上
	2,000		2,400
	600		

繰 越 商 品

600	600

　次に、期末の商品在庫ですが、売れ残り分は当期末の資産としての商品棚卸高が増えるので、繰越商品（資産）が増えます。また、売れ残り分は当期の費用にはならないので、仕入（費用）が減ります。

繰 越 商 品→資　産→↑増えた　仕　　　　入→費　用→↓減った

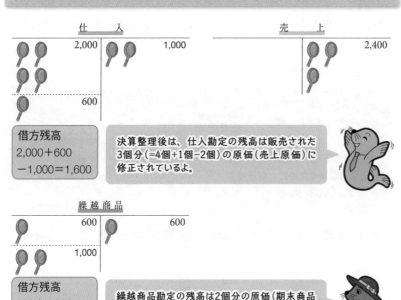

	仕　　入			売　　上
	2,000	1,000		2,400
	600			

借方残高
2,000＋600
－1,000＝1,600

決算整理後は、仕入勘定の残高は販売された3個分（＝4個＋1個－2個）の原価（売上原価）に修正されているよ。

繰 越 商 品

600	600
1,000	

借方残高
600＋1,000
－600＝1,000

繰越商品勘定の残高は2個分の原価（期末商品棚卸高）に修正されているわ。

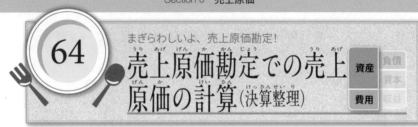

まぎらわしいよ、売上原価勘定！

64 売上原価勘定での売上原価の計算（決算整理）

資産	負債
	資本
費用	収益

⑥③の例で、売上原価勘定で売上原価を計算する決算整理仕訳はどうなる？

答え

（売上原価）	600	（繰越商品）	600
（売上原価）	2,000	（仕　　　入）	2,000
（繰越商品）	1,000	（売上原価）	1,000

解説

　期首の商品在庫は、期中に売れて資産が減ったと考えて、繰越商品（資産）が減ります。そして、売れたら当期の費用となるので、売上原価（費用）が増えます。

NEW 勘定科目

売上原価（費用）

当期に販売した商品の原価（売上原価）を計算するために、売上原価（費用）に記入します。

損益計算書

売上原価	
＋	－

費用　収益

売上原価→費用→⬆増えた　繰越商品→資産→⬇減った

繰越商品		売上原価	
600	600	600	

　当期に仕入れた商品の原価を、仕入（費用）から売上原価（費用）に振り替えます。

　仕入勘定は借方残高なので、残高のある勘定科目（仕入）は貸方に記入し、移したい勘定科目（売上原価）は借方に記入します。

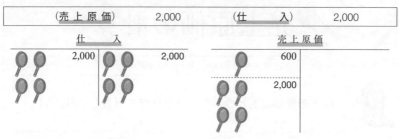

（売上原価）　　2,000　　（仕　　入）　　2,000

　次に、期末の商品在庫ですが、売れ残り分は当期末の資産としての商品棚卸高が増えるので、繰越商品（資産）が増えます。また、売れ残り分は当期の費用にはならないので、売上原価（費用）が減ります。

繰越商品→資　産→↑増えた　売上原価→費　用→↓減った

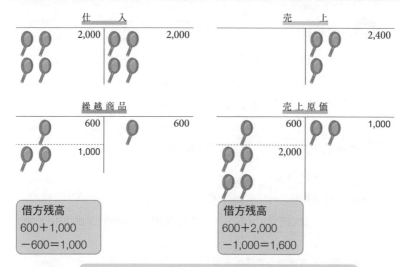

借方残高
600＋1,000
−600＝1,000

借方残高
600＋2,000
−1,000＝1,600

　決算整理後は、売上原価勘定の残高は販売された3個分（＝1個＋4個−2個）の原価（売上原価）に修正されているよ。
　繰越商品勘定の残高は2個分の原価（期末商品棚卸高）に修正されているね。

問題集
基本問題12へ

この売上原価の計算方法は大事だよ!

65 売上原価の計算

以下の資料にもとづいて、売上原価を計算してみよう!

　クックウェア株式会社は、当期に商品2,000円を仕入れた。また、期首商品棚卸高は600円、期末商品棚卸高は1,000円であった。

 答え

売上原価　1,600円

解説

　当期商品仕入高と期首商品棚卸高の合計額は当期に販売可能な商品の上限です。この上限から期末商品棚卸高を差し引くことで、当期に販売した商品の原価を計算することができます。

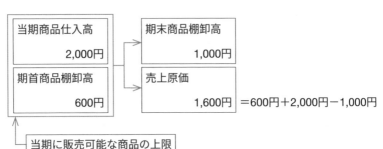

Point **売上原価の計算**

売上原価＝期首商品棚卸高＋当期商品仕入高－期末商品棚卸高

第 4 章

小切手
手形・電子記録債権

第4章では、小切手や手形・電子記録債権についてみていきます。

硬貨や紙幣は身近にあるよね！

現金
げん　きん

資産　負債

資本

費用　収益

商品を販売し、代金を現金で受け取ったときの仕訳をしてみよう！

クックウェア株式会社は、そば商店に商品800円を売り上げ、代金は現金で受け取った。

800円

 答え

（現　　　金）	800	（売　　　上）	800

解説

そば商店より現金を受け取ったので、現金（資産）が増えます。また、商品を販売したので、売上（収益）が増えます。

現　　　金 → 資　産 → ↑増えた　売　　　上 → 収　益 → ↑増えた

4
章
66
現
金

67

当座預金口座はあまり身近じゃないよね!

当座預金とは

資産

当座預金口座ってなんだろう?

答え

当座預金口座を開設することで、小切手や手形を使うことができるようになります。

小切手に金額を記入して相手に渡すと、その相手は小切手を金融機関(銀行など)で換金します。手形は後ほど説明します。

解説

当座預金口座の残高の増減は当座預金(資産) ^{NEW} または当座預金○○銀行(資産) ^{NEW} という勘定科目を用いて記帳します。

NEW 勘定科目

当座預金(資産)

当座預金口座の残高の増減は当座預金(資産)に記入します。
当座預金○○銀行(資産)と銀行名を付けて、銀行別に区別することがあります。

貸借対照表

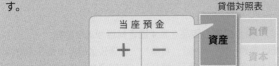

当座預金		資産	負債
+	−		資本

当座預金口座を開設しよう！

当座預金口座の開設

当座預金口座を開設したときの仕訳をしてみよう！

クックウェア株式会社は、クック銀行で当座預金口座を開設し、現金500円を預けた。

答え

（当 座 預 金）	500	（現　　　金）	500

解説

当座預金口座を開設して現金を預けたときは、当座預金口座の残高が増えるので、当座預金（資産）が増えます。

現金を預けたときは、会社から現金が減るので、現金（資産）が減ります。

当 座 預 金 → 資　産 → ↑増えた　現　　　金 → 資　産 → ↓減った

Point

当座預金口座以外にも預金口座の残高を表す勘定科目があります。
❖普通預金（資産）または普通預金○○銀行（資産）…普通預金口座の残高の増減
❖定期預金（資産）または定期預金○○銀行（資産）…定期預金口座の残高の増減

小切手を作って渡したらどうなる？

69 小切手の振出し

小切手を振り出したときの仕訳をしてみよう！

　クックウェア株式会社は、アヒー商店より商品100円を仕入れ、代金は小切手を振り出して支払った。

答え

（仕　　　入）	100	（当 座 預 金）	100

解説

　小切手を振り出すとは、小切手を作成することです。

　小切手を受け取った相手は金融機関に小切手を持ち込んで換金します。そのお金はクックウェア株式会社の当座預金口座より引き落とされるので、当座預金口座の残高が減ります。したがって、小切手を振り出したときは、当座預金（資産）が減ります。

　商品を購入したときは仕入（費用）が増えます。

仕　　　入→費　用→↑増えた　当 座 預 金→資　産→↓減った

当座預金口座を開設すると、小切手帳の交付を受けるんだけど、手数料がかかるから、支払手数料（費用）で処理するよ。

小切手を受け取ったら現金ってホント？

小切手の受取り

資産	負債
	資本
費用	収益

小切手を受け取ったときの仕訳をしてみよう！

　クックウェア株式会社は、そば商店に商品800円を販売し、代金はそば商店振出しの小切手を受け取った。

小切手
800円

 答え

（現　　金）	800	（売　　上）	800

 解説

　他人（自分の会社以外の会社やお店）が振り出した小切手を受け取ったときは、現金（資産）が増えます。他人が振り出した小切手を金融機関ですぐに換金することができるので、簿記では現金（資産）として扱います。

現　　　金 → 資　産 → ↑増えた　売　　　上 → 収　益 → ↑増えた

> Point
>
> 　他人が振り出した小切手を、ただちに当座預金口座に預け入れたときは、当座預金（資産）が増えます（現金は素通りするだけなので仕訳に出てきません）。

> **Point**
>
> **通貨代用証券…現金(資産)として仕訳をする**
>
> 通貨代用証券は金融機関でただちに換金することができるものをいいます。他
> 人が振り出した小切手(他人振出小切手)が試験では一番よく出題されます。この
> 他に、送金小切手(送金手段として銀行が振り出す小切手)や普通為替証書・定
> 額小為替証書(送金手段としてゆうちょ銀行が発行する証書)などがあります。

　過去の試験で、当社(自分の会社)が過去に振り出した小切手を受け
取ったときの仕訳について問われたことがあります。

　これは、当社が振り出した小切手がいくつかの会社やお店を転々と
して、偶然、当社に戻ってきたケースになります。

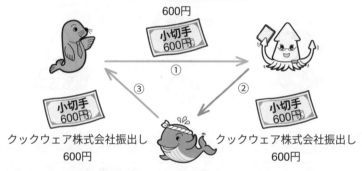

　このケースでは、振り出した小切手が換金されていないので、当座
預金口座の残高は減っていません。ですから、仕訳で減らした分を戻
してあげればよいので、当座預金(資産)を増やすことになります。

問題集
基本問題13へ

71

当座預金の残高がマイナスになったら…

当座借越

	負債
資産	資本
費用	収益

当座預金がマイナスになったときの仕訳をしてみよう！

　クックウェア株式会社は、アヒー商店より商品600円を購入し、代金は小切手を振り出して支払った。なお、当座預金勘定は借方残高400円であるが、2,000円を限度とする当座借越契約を結んでいる。

 答え

（仕　　　入）	600	（当 座 預 金）	600

解説

　当座借越契約とは、銀行と契約をしておけば当座預金口座の残高が不足しても、一定額までならば銀行が立て替えてくれるという契約のことです。

　当座借越契約を結んでいるので、当座預金口座の残高が不足していても、限度額まで小切手を振り出すことができます。

当座借越契約を結ぶときに、担保（たんぽ）として定期預金口座に預け入れたりするよ。

4章

71
当座借越

　小切手を振り出したときは、当座預金口座の残高が減るので、当座預金(資産)が減ります。

　商品を仕入れたときは、仕入(費用)が増えます。

| 仕　　　入→費　用→↑増えた　当座預金→資　産→↓減った |

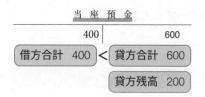

当座預金

| 400 | 600 |

借方合計　400　＜　貸方合計　600

貸方残高　200

貸方残高だから、当座預金口座はマイナス200円ということだね。貸方残高のときは銀行が立て替えてくれているから、あとで返さなければならないということだね。

　この時点で決算をむかえると、当座預金勘定の貸方残高は銀行からの借入れを表すものであるため、当座借越(負債)または借入金(負債)へ振り替えます。

| (当 座 預 金) | 200 | (当 座 借 越) | 200 |

　また、決算日の翌日(翌期首)には、当座預金(資産)を用いた処理ができるように再び振り替えます。

| (当 座 借 越) | 200 | (当 座 預 金) | 200 |

当座借越(負債)は決算整理手続にだけ出てくるぞ!

72

約束したよ、決められた日にお金を払うことを！

約束手形とは

	負債
資産	
	資本
費用	収益

約束手形ってなんだろう？

🍳 **答え**

約束手形は、「決められた日に手形に書かれた金額を支払います」という約束を書く紙です。

約束手形
600円

アヒー商店さんへ
〇月×日に600円を支払います。
　　　　クックウェア株式会社ピロシキ

約束手形を作成した人	約束手形を受け取った人
↓	↓
約束手形の振出人	約束手形の受取人（名宛人）
↓	↓
約束手形に書かれた金額を支払う人	約束手形に書かれた金額を受け取る人

手形代金の支払日（決済日）のことを満期日といいます。

買掛金の支払いとして約束手形を作成することがあるよ。
売掛金の回収として約束手形を受け取ることがあるよ。

解説

　手形に関する取引は、受取手形(資産) NEW、支払手形(負債) NEW という勘定科目を用いて記帳します。

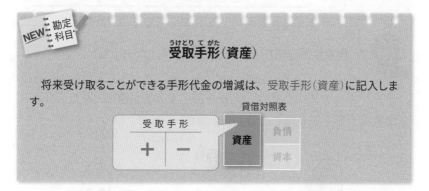

^{NEW} 勘定科目

受取手形(資産)

　将来受け取ることができる手形代金の増減は、受取手形(資産)に記入します。

貸借対照表

受取手形	
＋	－

資産	負債
	資本

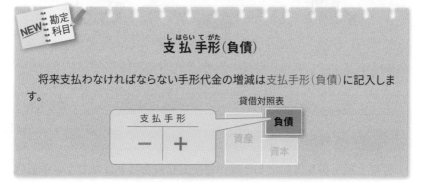

^{NEW} 勘定科目

支払手形(負債)

　将来支払わなければならない手形代金の増減は支払手形(負債)に記入します。

貸借対照表

支払手形	
－	＋

資産	負債
	資本

　したがって、手形の代金を受け取るのか、それとも、支払うのかを判断できるようにすることが重要です。

4章
72
約束手形とは

No.15	**約束手形**	B04120	
収入印紙	東京都新宿区 ×-×-× B商店　馬場三郎　殿		支払期日　× 年6月30日 支払地　東京都千代田区 支払場所　㈱まごころ銀行
	金額　￥100※		竹橋支店

上記金額をあなたまたはあなたの指図人へこの約束手形と引き換えにお支払いいたします。

　× 年4月1日
　振出地　東京都千代田区
　住　所　神田神保町 ×-×-×
　振出人　Ａ株式会社　青山一郎　㊞

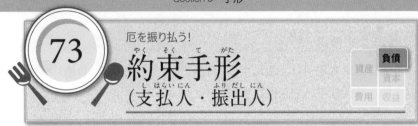

厄を振り払う!
約束手形
（支払人・振出人）

	負債
資産	資本
費用	収益

約束手形を振り出したときの仕訳をしてみよう!

　クックウェア株式会社は、アヒー商店より商品600円を仕入れ、代金は約束手形を振り出して渡した。

答え

| （仕　　入） | 600 | （支 払 手 形） | 600 |

 解説

　約束手形を振り出したときは、将来支払わなければならない手形代金が増えるので、支払手形（負債）が増えます。

| 仕　　　入→費　用→↑増えた　支 払 手 形→負　債→↑増えた |

語呂合わせで覚えちゃおう!「厄を振り払う」
　厄…約束手形
　振り…振出人
　払う…支払う（手形代金を支払う）

　手形の満期日が来て手形代金が当座預金口座より引き落とされたときは、支払手形（負債）が減ります。

約束なう！
約束手形
（受取人・名宛人）

資産

　約束手形を受け取ったときの仕訳をしてみよう！

　クックウェア株式会社は、そば商店に商品800円を販売し、代金は
そば商店振出しの約束手形を受け取った。

約束手形
800円

答え

（受取手形）	800	（売　　上）	800

　解説

　約束手形を受け取ったときは、将来受け取ることができる手形代金
が増えるので、受取手形（資産）が増えます。

受取手形→資　産→↑増えた　売　　　上→収　益→↑増えた

語呂合わせで覚えちゃおう！「約束なう」
約束…約束手形
な…名宛人
う…受け取る（手形代金を受け取る）

　手形の満期日が来て手形代金が当座預金口
座に振り込まれたときは、受取手形（資産）が
減ります。

問題集
基本問題14へ

115

75

債務を電子記録することで発生

電子記録債務

	負債
資産	
	資本
費用	収益

電子記録債務の発生記録が行われたときの仕訳をしてみよう!

クックウェア株式会社は、アヒー商店に対する買掛金600円の支払いを電子債権記録機関で行うため、取引銀行を通して債務の発生記録を行った。

答え

| (買　掛　金) | 600 | (電子記録債務) | 600 |

解説

買掛金などの債務を電子債権記録機関に発生記録したときは、その債務(買掛金など)を減らして、電子記録債務(負債) を増やします。

買　掛　金 → 負　債 → ↓減った　電子記録債務 → 負　債 → ↑増えた

NEW 勘定科目
でんしきろくさいむ
電子記録債務(負債)

発生記録した債務の増減は電子記録債務(負債)に記入します。

貸借対照表

電子記録債務		負債
－	＋	
	|資産|
	|資本|

約束手形と同じ効果だけど、約束手形と違って、収入印紙を貼らなくて済むから、節約になるんだ。

電子記録債務の支払期日が来て、預金口座より引き落とされたときは、電子記録債務(負債)が減ります。

76

債権を電子記録することで発生

電子記録債権

 電子記録債権の発生記録が行われたときの仕訳をしてみよう!

　クックウェア株式会社は、そば商店に対する売掛金800円の回収に関して、電子債権記録機関から取引銀行を通じて債権の発生記録の通知を受けた。

答え

（電子記録債権）	800	（売　掛　金）	800

解説

　売掛金などの債権の回収について、電子債権記録機関から債権の発生記録の通知を受けたときは、その債権（売掛金など）を減らして、電子記録債権（資産）を増やします。

電子記録債権 → 資　産 → ⬆増えた　売　掛　金 → 資　産 → ⬇減った

NEW 勘定科目

電子記録債権（資産）

発生記録の通知を受けた債権の増減は電子記録債権（資産）に記入します。

貸借対照表

電子記録債権		資産	負債
＋	－		資本

　電子記録債権の支払期日が来て、預金口座に振り込まれたときは、電子記録債権（資産）が減ります。

電子記録債権・電子記録債務の発生記録の流れ

①債務者請求方式

発生記録の請求 →
承諾

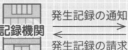

記録機関

発生記録の通知 →
← 発生記録の請求

債務者
（クックウェア株式会社）

②債権者請求方式

債権者
（アヒー商店）

①債務者請求方式は、債務者側が発生記録の請求を行う方式だよ。
②債権者請求方式は、債権者側が発生記録の請求を行い、債務者から承諾を得る方式だよ。

どちらの方式でも、請求は取引銀行を通して行うことになるよ。

問題集
基本問題15へ

第 5 章

固定資産
こ　てい　し　さん

第5章では、固定資産についてみていきます。

将来、自社ビルを建てたいな！

固定資産の購入

資産 / 負債 / 資本 / 費用 / 収益

固定資産を購入したときの仕訳をしてみよう！

クックウェア株式会社は、備品（事務用パソコン）355,000円を購入し、代金はセッティング費用5,000円とともに小切手を振り出して支払った。

小切手 360,000円

NS電器

 答え

（備　　品）	360,000	（当 座 預 金）	360,000

 解説

固定資産とは、土地や営業車、倉庫、事務用パソコンなど、長期にわたって使用するために保有する資産です。固定資産を購入したときにかかった金額を取得原価といい、取得原価は、固定資産自体の金額（購入代価）に、仲介手数料などの固定資産を使用するまでにかかった費用（付随費用）を含めて計算します。

> **Point 固定資産の取得原価**
>
> 取得原価＝購入代価＋付随費用
> 付随費用…整地費用、仲介手数料、登記料、セッティング費用など

5章

77 固定資産の購入

取得原価は、355,000円+5,000円=360,000円となるよ。

　備品(事務用パソコン)を購入したときは、備品(資産) 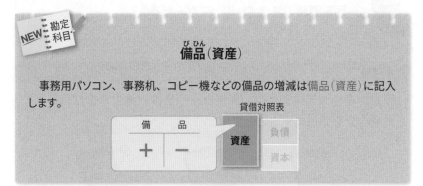 が増えます。

NEW 勘定科目

備品(資産)

　事務用パソコン、事務机、コピー機などの備品の増減は備品(資産)に記入します。

貸借対照表

備　　品	
＋	－

資産 / 負債 / 資本

備　　　品→資　産→⬆増えた　当座預金→資　産→⬇減った

 Point

その他の有形固定資産の勘定科目

❖建物(資産)　…倉庫、店舗、ビルなどの建築物
❖土地(資産)　…ビルや倉庫などを建てるための敷地
❖車両運搬具(資産)　…営業用乗用車、営業用トラックなどの車両

固定資産には、有形固定資産と無形固定資産があり、日商簿記3級では有形固定資産を学習するよ。有形固定資産とは、具体的な形がある資産のことだよ。
でも、文房具やコピー用紙など、具体的な形があっても
1年以内に使い切る見込みのものは消耗品費(費用) NEW として、いきなり費用にしちゃうよ。

5章

77
固定資産の購入

固定資産も会社の稼ぎに貢献しているよ！

78 固定資産の減価償却（決算整理）

固定資産の減価償却ってなんだろう？

答え

　固定資産の減価償却とは、固定資産の価値の減少分を見積もって、この減少分を費用にすることです。

年々価値が下がっていく！

　固定資産の価値の減少分は収益を上げるために貢献した費用と考え、減価償却費（費用）が増えます。減価償却費の計算方法はいくつかありますが、日商簿記3級では定額法を学習します。定額法とは、毎期一定額の減価償却費を計上することです。ただし、土地は使用価値が減少しないと考えるため、減価償却をしません。

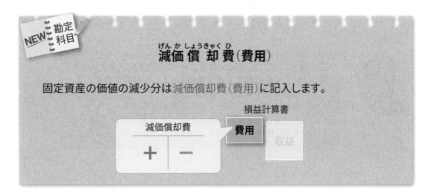

NEW 勘定科目

減価償却費（費用）

固定資産の価値の減少分は減価償却費（費用）に記入します。

解説

　決算整理で、当期に利用した固定資産の価値の減少分を当期の費用とし、また当期末の固定資産の価値を減少しなければなりません。

　減価償却費の計算には、取得原価、耐用年数（たいようねんすう）、残存価額（ざんぞんかがく）の資料が必要となります。

　　　取得原価…固定資産の取得にかかった金額

　　　耐用年数…固定資産の使用可能期間

　　　残存価額…使用可能期間経過後の固定資産の価値

耐用年数や残存価額は問題資料に与えられるので心配しないでね。

　また、定額法による減価償却費の計算方法は次のようになります。

> **Point**
>
> **定額法による減価償却費の計算**
>
> 減価償却費＝（取得原価－残存価額）÷耐用年数×$\dfrac{\text{当期の使用月数}}{12\text{か月}}$

実際の価値の減少分を計算するのはほぼ不可能なので、ルールとして一定の計算方法が決まっているぞ。

価値の減少は、使用した期間を対象にするから、月割計算（つきわりけいさん）することもあるんじゃ。

79

帳簿上、取得原価から直接減らさない

減価償却の
処理方法

	負債
資産	
	資本
費用	収益

減価償却の仕訳をしてみよう!

　クックウェア株式会社は、決算をむかえ、当期首に購入した備品360,000円の減価償却を行った。なお、この備品の耐用年数は4年、残存価額は0円である。また、決算日は毎年3月31日である。

年々価値が下がっていく!

 答え

| （減価償却費） | 90,000 | （備品減価償却累計額） | 90,000 |

| 減価償却費 | | 備　　品 |
| 90,000 | | 360,000 | |

| | | 備品減価償却累計額 |
| | | | 90,000 |

解説

　減価償却費：(360,000円 − 0円) ÷ 4年 = 90,000円

　固定資産の減価償却を行ったときは、固定資産の価値の減少分を費用とするので、減価償却費(費用)が増えます。また、固定資産の価値の減少を減価償却累計額という勘定を使用することで、間接的に固定資産の価値が減ったことを表します。なお、固定資産の価値が減った分の累計は減価償却累計額(その他)に記入します。

　備品の取得原価(360,000円)から、価値の減少の累計額を表す減価
償却累計額(90,000円)を差し引いた金額(360,000円 − 90,000円 =
270,000円)を、帳簿価額(簿価)といいます。

　帳簿価額(簿価)は、備品の正味の価値を表します。

> このように間接的に固定資産の価値を減らすことから、
> この処理方法を間接法(かんせつほう)と言うんじゃ。

NEW 勘定科目

減価償却累計額(その他)

　固定資産の価値が減った分の累計は減価償却累計額(その他)に記入します。
減価償却累計額は資産のマイナスとなる特殊な勘定科目です。仕訳の振分け
ルールは「負債・資本・収益」用ルールを使います。

貸借対照表

減価償却累計額
− ｜ ＋

資産｜負債
　　｜資本

　減価償却累計額の頭に固定資産の勘定を付けて、「建物減価償却累計額」や
「備品減価償却累計額」や「車両運搬具減価償却累計額」という勘定科目を使い
ます。

減価償却費 → 費　用 → ↑増えた　備品減価償却累計額 → その他 → ↑増えた

> 建物などの固定資産の機能の回復や維持のために修繕を
> 行った場合は修繕費(費用) NEW 、修繕により機能が向上して
> 価値が増加した場合は建物(資産)で処理するよ。

問題集
基本問題16へ

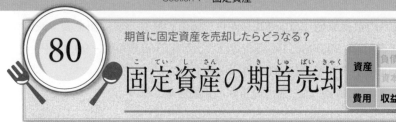

期首に固定資産を売却したらどうなる？

固定資産の期首売却

期首に固定資産を売却したときの仕訳をしてみよう！

　クックウェア株式会社は、かねて購入していた備品（取得原価360,000円、当期首の減価償却累計額180,000円、間接法で記帳）を期首に150,000円で売却し、代金は現金で受け取った。

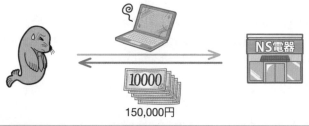

150,000円

答え

（備品減価償却累計額）	180,000	（備　　　品）	360,000
（現　　　金）	150,000		
（固定資産売却損）	30,000		

　解説

　固定資産を期首に売却したときは、売却した固定資産がなくなるため、固定資産の勘定を減らすと同時に、売却した固定資産に対する減価償却累計額も減らします。

　備品を売却したときは、会社の備品がなくなるので、備品（資産）が減ります。また、この備品に対する減価償却累計額も必要なくなるので、備品減価償却累計額（その他）が減ります。

5章
80
固定資産の期首売却

　備品の売却代金は現金で受け取ったので、現金(資産)が増えます。

　固定資産の売却代金と帳簿価額を比較して売却損益を計算します。
売却時点の固定資産の帳簿価額は、取得原価から価値の減少分の累計
(減価償却累計額)を差し引いた金額です。

　　売却代金　150,000円

　　帳簿価額　360,000円 − 180,000円 ＝ 180,000円
　　　　　　　取得原価　　減価償却累計額

　　売却損益　150,000円 − 180,000円 ＝ △30,000円(損失→売却損)

　固定資産を売却して損失が出たので、固定資産売却損(費用)
が増えます。

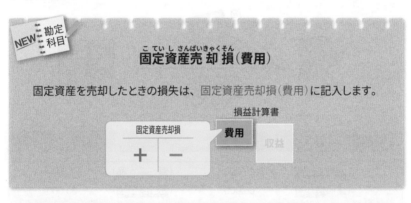

固定資産売却損(費用)

固定資産を売却したときの損失は、固定資産売却損(費用)に記入します。

備品減価償却累計額 → その他 → ↓減った　備　　品 → 資　産 → ↓減った
現　　　金 → 資　産 → ↑増えた
固定資産売却損 → 費　用 → ↑増えた

Point
売却損益の計算順序

① 売却代金を計算
② 帳簿価額(簿価)を計算
③ 売却損益＝売却代金−帳簿価額(簿価)

固定資産の期中売却

期中に固定資産を売却したときの仕訳をしてみよう！

クックウェア株式会社は、かねて購入していた備品（取得原価360,000円、当期首の減価償却累計額180,000円、間接法で記帳）を期中に150,000円で売却し、代金は現金で受け取った。なお、当期分の減価償却費60,000円を合わせて計上すること。

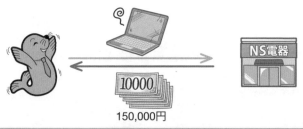

150,000円

答え

（備品減価償却累計額）	180,000	（備　　　品）	360,000
（減価償却費）	60,000	（固定資産売却益）	30,000
（現　　　金）	150,000		

解説

固定資産を期中に売却したときは、売却した固定資産がなくなるため、固定資産の勘定を減らすと同時に、売却した固定資産に対する減価償却累計額も減らします。また、当期の減価償却費も合わせて計上します。

　備品を売却したときは、会社の備品がなくなるので、備品(資産)が減ります。また、この備品に対する減価償却累計額も必要なくなるので、備品減価償却累計額(その他)が減り、当期の使用に対する価値の減少分を費用とするので、減価償却費(費用)が増えます。

　備品の売却代金は現金で受け取ったので、現金(資産)が増えます。

　固定資産の売却代金と帳簿価額を比較して売却損益を計算します。売却時点の固定資産の帳簿価額は、取得原価から価値の減少分の累計(減価償却累計額)と当期分の減価償却費を差し引いた金額です。

　　売却代金　150,000円

　　帳簿価額　360,000円 − 180,000円 − 60,000円 = 120,000円
　　　　　　　取得原価　　　減価償却累計額　当期分の減価償却費

　　売却損益　150,000円 − 120,000円 = 30,000円(儲け→売却益)

　固定資産を売却して儲けが出たので、固定資産売却益(収益) NEW が増えます。

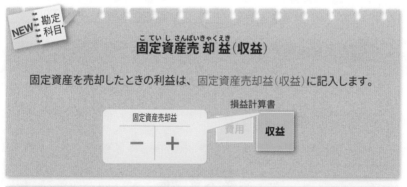

問題集
基本問題17へ

82

売掛金・買掛金と間違えないでね！

未収入金・未払金

土地の売却代金が未収のときの仕訳をしてみよう！

クックウェア株式会社は、アヒー商店に土地（取得原価500,000円）を600,000円で売却し、代金は1週間後に受け取ることとした。

管理地

 答え

（未 収 入 金）	600,000	（土　　　地）	500,000
		（固定資産売却益）	100,000

 解説

土地を売却したときは、会社の土地がなくなるので、土地（資産）が減ります。また、商品代金以外の代金を後日、受け取るときは、未収入金（資産）🆕が増えます。

NEW 勘定科目

未収入金（資産）

商品代金以外の未回収の代金（固定資産の売却代金）の増減は未収入金（資産）に記入します。

売掛金と混同しないように注意してください。

貸借対照表

未 収 入 金	
＋	－

資産	負債
	資本

5章

82

未収入金・未払金

売却損益 600,000円 − 500,000円 = 100,000円（儲け→売却益）

儲けが出たときは、固定資産売却益（収益）が増えます。

未 収 入 金 → 資　産 → ↑増えた	土　　　地 → 資　産 → ↓減った
	固定資産売却益 → 収　益 → ↑増えた

（未 収 入 金）	600,000	（土　　　地）	500,000
		（固定資産売却益）	100,000

土地を購入した、アヒー商店の立場で考えてみましょう。

商品代金以外の代金（土地の購入代金）を後で支払う
ので、未払金（負債）**NEW** が増えるよ。

NEW 勘定科目

未払金（負債）
みばらいきん

　商品代金以外の未払いの代金（固定資産の購入代金）の増減は未払金（負債）
に記入します。
　買掛金と混同しないように注意してください。

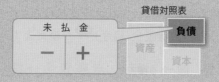

貸借対照表

未 払 金		負債
−	+	
		資産
		資本

・アヒー商店の仕訳

土　　　地 → 資　産 → ↑増えた	未 払 金 → 負 債 → ↑増えた

（土　　　地）	600,000	（未 払 金）	600,000

83

事務所を借りるにも先立つものが…

保証金の差入れ

資産　負債
資本
費用　収益

事務所を借りて保証金を差し入れたときの仕訳をしてみよう！
（保証金は貸主に預けておき、事務所を退去するときに壊したものの
修理代などに充てられ、残額は返金されるよ。）

クックウェア株式会社は、事務所を借りる契約を結び、保証金（敷金）100,000円を小切手を振り出して支払った。

事務所を貸してください

保証金預かるよ

小切手
100,000円

5章
83
保証金の差入れ

　答え

| （差入保証金） | 100,000 | （当座預金） | 100,000 |

解説

事務所などを借りるときに、保証金を支払うことがあります。

保証金を支払うと差入保証金（資産）🆕が増えます。

差入保証金 → 資　産 → ⬆増えた　当座預金 → 資　産 → ⬇減った

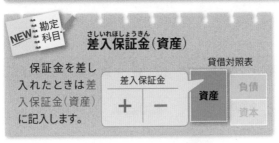

NEW 勘定科目
さしいれほしょうきん
差入保証金（資産）

保証金を差し入れたときは差入保証金（資産）に記入します。

貸借対照表

差入保証金
＋　　－

資産
負債
資本

問題集
基本問題18へ

第 6 章

収益・費用

第6章では、収益や費用についてみていきます。Section 1とSection 2は左ページと右ページで対比しながら読み進めることができます。また、左ページのみを読み進め、その後、右ページのみを読み進めることで取引の一連の流れを確認できます。

84

費用の種類はたくさんあるよ！

費用の支払い

費用を支払ったときの仕訳をしてみよう！

7月1日　クックウェア株式会社は、アヒー商店ビルの一部を事務所として借り、家賃2,400円（1年分）について小切手を振り出して支払った。

小切手
2,400円

答え

| （支 払 家 賃） | 2,400 | （当 座 預 金） | 2,400 |

解説

家賃を支払ったときは、支払家賃（費用）が増えます。

 勘定科目

支払家賃（費用）

損益計算書

支払った家賃の増減は支払家賃（費用）に記入します。

支 払 家 賃		費用	収益
＋	－		

小切手を振り出したときは、当座預金（資産）が減ります。

支 払 家 賃 → 費　用 → ↑増えた　当 座 預 金 → 資　産 → ↓減った

支 払 家 賃	
2,400	

左読み

※Section 1は左ページのみを読み進めることができます。

85

収益の種類は費用ほど多くないよ！

収益の受取り

	負債
資産	資本
費用	**収益**

収益を受け取ったときの仕訳をしてみてね。

7月1日　アヒー商店は、ビルの一部をクックウェア株式会社に賃貸
　　　　し、家賃2,400円（1年分）をクックウェア株式会社振出しの小
　　　　切手で受け取った。

小切手
2,400円

答え

| （現　　　金） | 2,400 | （受 取 家 賃） | 2,400 |

解説

家賃を受け取ったときは、受取家賃（収益）が増えます。

NEW
勘定
科目

受取家賃（収益）
うけとり や ちん

　受け取った家賃の増減は受取
家賃（収益）に記入します。

損益計算書

受 取 家 賃

| － | ＋ |

| 費用 | **収益** |

小切手を受け取ったときは、現金（資産）が増えます。

現　　　金→資　産→⬆増えた　受 取 家 賃→収　益→⬆増えた

受 取 家 賃

| | 2,400 |

6章

85

収益の受取り

※Section 1は右ページのみを
　読み進めることができます。

右読み

86

次期の家賃も払っちゃったよ！

費用の前払い
（決算整理）

資産

費用の前払いってなんだろう？

答え

当期に支払った費用の中に、次期以降の費用になる分が含まれている場合があります。次期以降の費用になる分は費用の前払いとなり、次期に持ち越します。

解説

たとえば、当期に家賃1年分を支払ったが、このうち3か月分は次期の家賃（費用）であったとします。次期の家賃（費用）は当期の費用ではないので、その分を減らします。そして、その費用は決算日において次期にサービスを受ける権利と考え、資産を増やします。したがって、決算整理手続により以下の仕訳を行う必要があります。

（前 払 家 賃）	3か月分	（支 払 家 賃）	3か月分

NEW 勘定科目

前 払 ○○（資産）

決算において、当期に払った費用の中に次期以降にサービスを受ける権利があるときは前払○○（資産）に記入します。○○には、「家賃」「地代」「保険料」などが入ります。

前 払 ○○

＋　｜　－

貸借対照表

資産　負債

資本

6章
86
（費用の前払い（決算整理））

87

次期の家賃を受け取ったよ！

収益の前受け
（決算整理）

資産　**負債**
　　　資本
費用　収益

収益の前受けってなんだろう？

答え

当期に受け取った収益の中に、次期以降の収益になる分が含まれている場合があります。次期以降の収益になる分は収益の前受けとなり、次期に持ち越します。

解説

たとえば、当期に家賃1年分を受け取ったが、このうち3か月分は次期の家賃（収益）であったとします。次期の家賃（収益）は当期の収益ではないので、その分を減らします。そして、その収益は決算日において次期にサービスを提供する義務と考え、負債を増やします。したがって、決算整理手続により以下の仕訳を行う必要があります。

（受 取 家 賃）	3か月分	（前 受 家 賃）	3か月分

NEW 勘定科目

前受○○（負債）

決算において、当期に受け取った収益の中に次期以降にサービスを提供する義務があるときは前受○○（負債）に記入します。○○には「家賃」「地代」などが入ります。

貸借対照表

前受○○

－　｜　＋

負債

資産　資本

6章
87
収益の前受け
（決算整理）

右読み

当期にまだサービスを受けていないよ！

費用の前払計上

資産	負債
	資本
費用	収益

以下の資料にもとづいて、決算整理仕訳をしてみよう！

　3月31日、クックウェア株式会社は、決算をむかえ、費用の前払い に関する決算整理手続を行った。なお、7月1日にアヒー商店ビルの事 務所を借り、家賃2,400円（1年分）を支払っている。会計期間は1年で ある。

答え

（前 払 家 賃）	600	（支 払 家 賃）	600

解説

次期の家賃（費用）は図を使って計算しましょう。

4/1期首	7/1支払		3/31決算	6/30
	当期支払12か月分2,400円			
当期			次期の費用3か月分	

次期の家賃（費用）　$2,400円 \times \dfrac{3\,か月}{12\,か月} = 600円$

　当期に支払った家賃のうち次期の家賃（費用）は、次期に事務所を借 りる権利が増えたことになるので、前払家賃（資産）が増えます。また、 次期の家賃（費用）は当期の費用ではないので、支払家賃（費用）が減り ます。

前 払 家 賃 → 資　産 → ↑増えた　支 払 家 賃 → 費　用 → ↓減った

支払家賃		前払家賃	
2,400	600	600	

当期にまだサービスを提供していないよ！

89

収益の前受計上

資産	負債
費用	資本
	収益

以下の資料にもとづいて、決算整理仕訳をしてみてね。

3月31日、アヒー商店は、決算をむかえ、収益の前受けに関する決算整理手続を行った。なお、7月1日にビルの一部をクックウェア株式会社に賃貸し、家賃2,400円（1年分）を受け取っている。会計期間は1年である。

答え

（受取家賃）	600	（前受家賃）	600

解説

次期の家賃（収益）は図を使って計算しましょう。

次期の家賃（収益）　$2,400円 \times \dfrac{3\text{か月}}{12\text{か月}} = 600円$

当期に受け取った家賃のうち次期の家賃（収益）は、次期に事務所を貸す義務が増えたことになるので、前受家賃（負債）が増えます。また、次期の家賃（収益）は当期の収益ではないので、受取家賃（収益）が減ります。

受 取 家 賃 → 収　益 → ⬇減った　　前 受 家 賃 → 負　債 → ⬆増えた

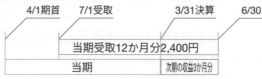

前受家賃		受取家賃	
	600	600	2,400

6章
89
収益の前受計上

右読み

前期に家賃を払っているんだよね！

90 費用の前払計上の 期首再振替

資産	負債
	資本
費用	収益

以下の資料にもとづいて、期首再振替仕訳をしてみよう！

4月1日　クックウェア株式会社は、前期の決算において費用の前払いに関する決算整理手続を行ったので、期首再振替仕訳を行う。

前払家賃

前期繰越	600	

 答え

（支払家賃）	600	（前払家賃）	600

解説

　費用の前払いの決算整理が終了した次の会計期間の期首に仕訳をする必要があります。この仕訳を期首再振替仕訳といいます。

　前期に前払いした家賃は当期の家賃なので、支払家賃（費用）が増え、それと同時に、前払家賃（資産）が減ります。

支払家賃→費用→↑増えた　前払家賃→資産→↓減った

支払家賃

600	

前払家賃

前期繰越	600	600

決算整理仕訳の借方（左側）と貸方（右側）を入れ替えれば期首再振替仕訳ができあがるよ。

6章
90 費用の前払計上の 期首再振替

問題集 基本問題19へ

91

前期に家賃を受け取っているよ！
収益の前受計上の
期首再振替

資産	負債
	資本
費用	収益

以下の資料にもとづいて、期首再振替仕訳をしてみてね。

4月1日　アヒー商店は、前期の決算において収益の前受けに関する
　　　　決算整理手続を行ったので、期首再振替仕訳を行う。

前受家賃
	前期繰越	600

 答え

（前 受 家 賃）	600	（受 取 家 賃）	600

解説

　収益の前受けの決算整理が終了した次の会計期間の期首に仕訳をする必要があります。この仕訳を期首再振替仕訳といいます。

　前期に前受けした家賃は当期の家賃なので、受取家賃（収益）が増え、それと同時に、前受家賃（負債）が減ります。

前受家賃→負　債→↓減った　受取家賃→収　益→↑増えた

前受家賃
600	前期繰越	600

受取家賃
	600

決算整理仕訳の借方（左側）と貸方（右側）を入れ替えれば期首再振替仕訳ができあがるね。

問題集
基本問題20へ

6章
91
収益の前受計上の
期首再振替

右読み

92

お金を借りるときは計画的に!

金銭を借りたとき

	負債
資産	資本
費用	収益

お金を借りたときの仕訳をしてみよう!
(お金を借りた証明として借用証書を作成することがあるよ。)

8月1日
(借入)　クックウェア株式会社は、クス商店より現金2,000円を借りた。

借用証書

答え

(現　　金)	2,000	(借　入　金)	2,000

解説

金銭を借りたときは、借入金(負債) NEW が増えます。

NEW 勘定科目

借入金(負債)

金銭を借りている額の増減は借入金(負債)に記入します。

貸借対照表

借　入　金	
－	＋

	負債
資産	資本

現　　金 → 資　産 → ↑増えた　借　入　金 → 負　債 → ↑増えた

6章

92

金銭を借りたとき

93 金銭を貸したとき

お金を貸したよ、ちゃんと返してね!

 お金を貸したときの仕訳をしようかな?

8月1日
（貸付）　クス商店は、クックウェア株式会社に現金2,000円を貸した。

答え

| （貸 付 金） | 2,000 | （現　　金） | 2,000 |

 解説

金銭を貸したときは、貸付金（資産）🆕 が増えます。

かしつけきん
貸付金（資産）

金銭を貸している額の増減は貸付金（資産）に記入します。なお、従業員に対して貸し付けているときは、従業員貸付金（資産）🆕 を使うことがあります。

貸 付 金 → 資 産 → ⬆増えた　　現　　　金 → 資 産 → ⬇減った

※Section 2は右ページのみを
読み進めることができます。 右読み

6章
93 金銭を貸したとき

94 利息を支払ったとき

お金を借りたら利息も払わないとね!

	負債
資産	資本
費用	収益

利息を支払ったときの仕訳をしてみよう!

1月31日　クックウェア株式会社は、クス商店より借りた2,000円と
（返済）　6か月分の利息60円を、本日返済日につき現金で支払った。

答え

（借 入 金）	2,000	（現　　　金）	2,060
（支 払 利 息）	60		

解説

借りた金銭を返済したときは、借入金（負債）が減ります。

借りた金銭に対する利息を支払ったときは、支払利息（費用）が
増えます。

NEW 勘定科目

支払利息（費用）

借りた金銭に対する利息の増減
は支払利息（費用）に記入します。

支 払 利 息	
＋	－

損益計算書

費用	収益

借 入 金 → 負 債 → ↓減った　現　　　金 → 資 産 → ↓減った
支 払 利 息 → 費 用 → ↑増えた

6章
94
利息を支払ったとき

お金を貸したら利息ももらわないとね!

95 利息を受け取ったとき

利息を受け取ったときの仕訳をしようかな?

1月31日　クス商店は、クックウェア株式会社に貸した2,000円と6
（回収）　　か月分の利息60円を、本日返済日につき現金で受け取った。

 利息

答え

（現　　　　金）	2,060	（貸　付　金）	2,000
		（受 取 利 息）	60

解説

貸した金銭を回収したときは、貸付金（資産）が減ります。

貸した金銭に対する利息を受け取ったときは、受取利息（収益）
が増えます。

NEW 勘定科目

受取利息（収益）

貸した金銭に対する利息の増減
は受取利息（収益）に記入します。

受 取 利 息
－ ｜ ＋

損益計算書

費用	収益

現　　　金→資　産→↑増えた　貸　付　金→資　産→↓減った
　　　　　　　　　　　　　　　受 取 利 息→収　益→↑増えた

6章

95 利息を受け取ったとき

右読み

利息の計算もできるようにね!

96 支払利息の計算

借入金10,000円、借入期間150日、利率年7.3%のとき利息はいくらだろう?

答え

利息　**300円**

解説

利息は以下の計算式で計算することができます。

Point

- ・利息（日割計算）＝借入金額×年利率× $\dfrac{借入日数}{365日}$

- ・利息（月割計算）＝借入金額×年利率× $\dfrac{借入月数}{12か月}$

日割計算すると次のようになるよ。

$$10,000円×7.3\%×\dfrac{150日}{365日}=300円$$

日割計算は1日単位で利息を計算するよ。
月割計算は1か月単位で利息を計算するよ。

97　受取利息の計算

日割計算、月割計算もできるようにね!

	負債
資産	資本
費用	**収益**

貸付金30,000円、貸付期間8か月、利率年5.0%のとき利息はいくらになるかしら?

答え

利息　**1,000円**

解説

利息は以下の計算式で計算することができます。

> Point
>
> ・利息(日割計算)＝貸付金額×年利率× $\dfrac{貸付日数}{365日}$
>
> ・利息(月割計算)＝貸付金額×年利率× $\dfrac{貸付月数}{12か月}$

月割計算すると次のようになるよ。

$$30,000円×5.0%×\dfrac{8か月}{12か月}=1,000円$$

会社の役員に対する借入金と貸付金は明確にするぞ!
役員から借りた場合は役員借入金(負債) NEW 、
役員に貸した場合は役員貸付金(資産) NEW
と区別するんじゃ!

右読み

98

借用証書の代わりに手形を振り出しちゃった！

金銭を借りて約束手形を振り出したとき

負債

資産　　　　資本

費用　収益

お金を借りて手形を振り出したときの仕訳をしてみよう！

7月1日　クックウェア株式会社は、アヒー商店より現金5,000円を借り、約束手形を振り出して渡した。

約束手形
5,000円

5000

答え

（現　　　金）	5,000	（手形借入金）	5,000

解説

金銭を借りて、手形を渡したときは、手形借入金（負債） ^{NEW} が増えます。

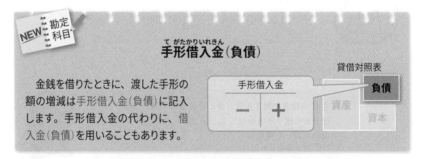

NEW 勘定科目

**てがたかりいれきん
手形借入金（負債）**

金銭を借りたときに、渡した手形の額の増減は手形借入金（負債）に記入します。手形借入金の代わりに、借入金（負債）を用いることもあります。

貸借対照表

手形借入金
−｜＋

負債

資産

資本

現　　　　金→資　産→↑増えた　手形借入金→負　債→↑増えた

99

お金を貸したら手形を受け取っちゃった！

金銭を貸して約束手形を受け取ったとき

資産 | 負債
資本
費用 | 収益

お金を貸して手形を受け取ったときの仕訳をしてみてね。

7月1日　アヒー商店は、クックウェア株式会社に現金5,000円を貸し、クックウェア株式会社振出しの約束手形を受け取った。

約束手形
5,000円

5000

答え

| （手形貸付金） | 5,000 | （現　　金） | 5,000 |

解説

　金銭を貸して、手形を受け取ったときは、手形貸付金（資産） ^{NEW} が増えます。

NEW 勘定科目

手形貸付金（資産）

　金銭を貸したときに、受け取った手形の額の増減は手形貸付金（資産）に記入します。手形貸付金の代わりに、貸付金（資産）を用いることもあります。

貸借対照表

手形貸付金	
＋	－

資産 | 負債
資本

手形貸付金 → 資 産 → ↑増えた　現　　　金 → 資 産 → ↓減った

6章
99 金銭を貸して約束手形を受け取ったとき

右読み

100 費用の未払い
（決算整理）

当期の利息を次期に払うよ！

費用の未払いってなんだろう？

答え

次期に支払う費用の中に、当期の費用にする必要がある分が含まれている場合があります。当期の費用にする分は費用の未払いとなり、当期の費用として計上します。

解説

たとえば、金銭の借入れに対する利息の支払いは次期であっても、当期の借入期間に対する利息は当期の費用にする必要があります。

当期末において、次期に当期の利息を支払う義務が増えたと考え、負債を増やす仕訳を決算整理手続により行います。

NEW 勘定科目

未払○○（負債）

当期の費用にもかかわらず支払いが次期以降の費用の金額は未払○○（負債）に記入します。○○には「利息」「家賃」「給料」などが入ります。

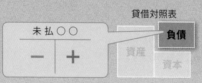

101 収益の未収
（決算整理）

当期の利息を次期に受け取るよ！

資産

しゅうえき　みしゅう
収益の未収ってなんだろうね？

答え

　次期に受け取る収益の中に、当期の収益にする必要がある分が含まれている場合があります。当期の収益にする分は収益の未収となり、当期の収益として計上します。

解説

　たとえば、金銭の貸付けに対する利息の受取りは次期であっても、当期の貸付期間に対する利息は当期の収益にする必要があります。
　当期末において、次期に当期の利息を受け取る権利が増えたと考え、資産を増やす仕訳を決算整理手続により行います。

NEW 勘定科目

みしゅう
未収○○（資産）

　当期の収益にもかかわらず受取りが次期以降の収益の金額は未収○○（資産）に記入します。○○には「利息」「家賃」「手数料」などが入ります。

貸借対照表

未収○○	
＋	－

資産　負債

資本

6章

101
（決算整理）収益の未収

右読み

払ってなくても、費用だよ！

費用の未払計上

	負債
資産	資本
費用	収益

以下の資料にもとづいて、決算整理仕訳をしてみよう！

　3月31日、クックウェア株式会社は、決算をむかえ、費用の未払いの決算整理手続を行った。なお、当期の7月1日にアヒー商店から借りた金銭に対する1年間の利息120円は、次期の6月30日に元本と一緒に返済する。決算日は毎年3月31日で、利息の計算は月割計算とする。

答え

（支 払 利 息）	90	（未 払 利 息）	90

解説

当期の利息（費用）は図を使って計算しましょう。

```
  4/1期首      7/1借入              3/31決算
    |           |                    |
    |       ┌────────────────────────┐
    |       │   当期の費用9か月分      │
    ┌───────────────────────────────┐
    │              当期               │
    └───────────────────────────────┘
```

当期の利息（費用）　$120円 \times \dfrac{9 か月}{12 か月} = 90円$

　7月1日から3月31日までの当期の借入期間9か月分の利息は、当期の費用となるので、支払利息（費用）が増えます。利息の支払いは次期以降なので、当期末の負債として、未払利息（負債）が増えます。

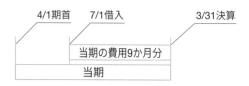

支 払 利 息 → 費　用 → ↑増えた　未 払 利 息 → 負　債 → ↑増えた

6章
102
費用の未払計上

103

収益の未収計上

資産	負債
	資本
費用	収益

 以下の資料にもとづいて、決算整理仕訳をしてみてね。

　3月31日、アヒー商店は、決算をむかえ、収益の未収の決算整理手続を行った。なお、当期の7月1日にクックウェア株式会社に貸した金銭に対する1年間の利息120円は、次期の6月30日に元本と一緒に返済される。決算日は毎年3月31日で、利息の計算は月割計算とする。

答え

(未 収 利 息)	90	(受 取 利 息)	90

解説

当期の利息(収益)は図を使って計算しましょう。

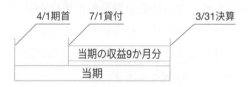

当期の利息(収益)　$120円 \times \dfrac{9か月}{12か月} = 90円$

　7月1日から3月31日までの当期の貸付期間9か月分の利息は、当期の収益となるので、受取利息(収益)が増えます。利息の受取りは次期以降なので、当期末の資産として、未収利息(資産)が増えます。

未 収 利 息 → 資　産 → ↑増えた　受 取 利 息 → 収　益 → ↑増えた

右読み

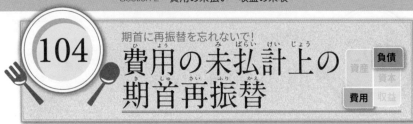

104 費用の未払計上の期首再振替

期首に再振替を忘れないで！

以下の資料にもとづいて、期首再振替仕訳をしてみよう！

4月1日　クックウェア株式会社は、前期の決算において費用の未払い
　　　　に関する決算整理手続を行ったので、期首再振替仕訳を行う。

未 払 利 息	
	前期繰越　　90

答え

（未 払 利 息）	90	（支 払 利 息）	90

解説

　費用の未払いの決算整理が終了した次の会計期間の期首に仕訳をする必要があります。この仕訳を期首再振替仕訳といいます。

　期首の未払利息は当期に支払うので、未払利息（負債）をあらかじめ減らします。当期に支払う利息に前期の利息が含まれるので、支払利息（費用）をあらかじめ減らします。

未 払 利 息 → 負 債 → 減った　支 払 利 息 → 費 用 → 減った

未 払 利 息		支 払 利 息	
90 ｜ 前期繰越　90			90

支払利息が貸方残高だけど、このあと1年分の利息120円を払うと、当期分の利息（30円）になるよ。

支 払 利 息	
120	90

問題集
基本問題21へ

期首のイベント、再振替！

105 収益の未収計上の期首再振替

資産	負債
	資本
費用	収益

以下の資料にもとづいて、期首再振替仕訳をしてみてね。

4月1日　アヒー商店は、前期の決算において収益の未収に関する決算整理手続を行ったので、期首再振替仕訳を行う。

	未収利息	
前期繰越	90	

答え

（受取利息）	90	（未収利息）	90

解説

収益の未収の決算整理が終了した次の会計期間の期首に仕訳をする必要があります。この仕訳を期首再振替仕訳といいます。

期首の未収利息は当期に受け取るので、未収利息（資産）をあらかじめ減らします。当期に受け取る利息に前期の利息が含まれるので、受取利息（収益）をあらかじめ減らします。

受取利息 → 収　益 → ↓減った　未収利息 → 資　産 → ↓減った

	未収利息			受取利息	
前期繰越	90	90		90	

受取利息が借方残高だけど、このあと1年分の利息120円を受け取ると、当期分の利息（30円）になるんだよ。

受取利息	
90	120

問題集
基本問題22へ

6章

105 収益の未収計上の期首再振替

右読み

領収書などの証書に貼付して消印すると納税したことに！

106 収入印紙を 購入したとき

資産　負債
資本
費用　収益

 収入印紙を購入したときの仕訳をしてみよう！

　クックウェア株式会社は、収入印紙1,000円を購入し、代金は現金で支払った。

答え

| （租税公課） | 1,000 | （現　　金） | 1,000 |

 解説

収入印紙を購入すると、租税公課（費用）🆕 が増えます。

NEW 勘定科目

租税公課（費用）

　購入した収入印紙の金額の増減は租税公課（費用）に記入します。

租 税 公 課	
＋	－

損益計算書
費用　収益

租 税 公 課 → 費　用 → ⬆増えた　　現　　　　金 → 資　産 → ⬇減った

租 税 公 課	
1,000	

107

決算をむかえたけど、使っていない分は資産だよね！

残っていた収入印紙を資産としたとき（決算整理）

資産	負債
	資本
費用	収益

以下の資料にもとづいて、決算整理仕訳をしてみよう！

クックウェア株式会社は、収入印紙1,000円を購入していた。決算をむかえ、収入印紙の棚卸（在庫を調べること）を行ったところ、未使用分が200円分あった。

 1,000円分
当期購入

  800円分
当期使用

  200円分
未使用

答え

（貯　蔵　品）	200	（租税公課）	200

 解説

　租税公課（費用）の残高のうち当期に使っていない分を当期末の資産とするため、決算整理手続を行います。

　当期に使っていない分は当期の費用にならないので、租税公課（費用）が減ります。また、当期に使っていない分は当期末において資産なので、貯蔵品（資産）が増えます。

貯　蔵　品→資　産→⬆増えた　租税公課→費　用→⬇減った

貯　蔵　品	
200	

租税公課	
1,000	200

決算整理後の貯蔵品（資産）の残高は200円、租税公課（費用）の残高は800円になるわよ。

6章

107
残っていた収入印紙を資産としたとき（決算整理）

157

Point

貯蔵品(資産)に振り替えた後の処理

　決算整理が終了した次の会計期間の期首に再振替仕訳をする必要があり、貯蔵品(資産)から租税公課(費用)へ振り替えます。

(租 税 公 課)	200	(貯 蔵 品)	200

再振替仕訳により、次の会計期間の費用になるよ。

問題集
基本問題23へ

6章
107
残っていた収入印紙を資産としたとき(決算整理)

158

第7章

仮払い・仮受け
〜 一時的な処理 〜

第7章では、仮払いや仮受けについてみていきます。

108

だいたい旅費はこのくらいかな！

とりあえず金銭を支払ったとき

資産

とりあえずお金を支払ったときの仕訳をしてみよう！

クックウェア株式会社は、従業員マカロンの出張にさいして、旅費の概算額5,000円を現金で渡した。

5000

答え

| (仮 払 金) | 5,000 | (現　　金) | 5,000 |

解説

旅費などの概算額を渡したときは、仮払金（資産）NEW が増えます。

NEW 勘定科目

かりばらいきん
仮 払 金（資産）

出張のための旅費などを概算で支払った金額の増減は仮払金（資産）に記入します。

仮 払 金	
＋	－

貸借対照表

資産	負債
	資本

現金を渡したときは、現金（資産）が減ります。

仮 払 金 → 資 産 → ↑増えた　現　　金 → 資 産 → ↓減った

7章
108
とりあえず金銭を支払ったとき

109 仮払金の勘定科目・金額が確定したとき

かかった旅費が確定したよ!

資産	負債
費用	資本
	収益

仮払金の内容が確定したときの仕訳をしてみよう!

　クックウェア株式会社は、従業員の出張にさいして、旅費の概算額5,000円を現金で渡していたが、本日、その従業員が帰社し、旅費が6,000円であるとの報告を受けた。旅費の不足額は現金で渡した。

1000

ただいま!旅費は
6,000円だったわ!

答え

| （旅費交通費） | 6,000 | （仮　払　金） | 5,000 |
| | | （現　　　金） | 1,000 |

解説

　旅費の概算額を渡していて、旅費が6,000円であるとの報告を受けたときは、旅費交通費（費用）^{NEW}が増えます。また、旅費が確定し、概算で支払った金額が減ったので、仮払金（資産）が減ります。

旅費交通費 → 費　用 → ↑増えた　仮　払　金 → 資　産 → ↓減った
**　　　　　　　　　　　　　　現　　　金 → 資　産 → ↓減った**

あれれ？　口座に入金があったけど、何だろう？

とりあえず金銭を
受け取ったとき

とりあえずお金を受け取ったときの仕訳をしてみよう！

クックウェア株式会社は、出張中の従業員マカロンより当座預金口座に10,000円の入金を行った旨の連絡を受けたが、内容については不明であった。

10000

10,000円入金したわ！

答え

| （当座預金） | 10,000 | （仮受金） | 10,000 |

解説

内容がわからない金銭を受け取ったときは、仮受金（負債）が増えます。

NEW 勘定科目

かりうけきん
仮受金（負債）

内容がわからない金銭を受け取った金額の増減は仮受金（負債）に記入します。

貸借対照表

| 仮　受　金 |
| − | ＋ |

資産　負債　資本

当座預金→資　産→↑増えた　仮　受　金→負　債→↑増えた

111

仮受金の内容が判明したとき

資産	負債
	資本
費用	収益

仮受金の内容が判明したときの仕訳をしてみよう!

クックウェア株式会社は、出張中の従業員マカロンより当座預金口座に10,000円の入金が行われ、仮受金としていたが、本日、売掛金の回収であることが判明した。

売掛金の回収だったわ!

答え

(仮 受 金)	10,000	(売 掛 金)	10,000

解説

内容不明の入金が、売掛金10,000円の回収であることが判明したときは、内容がわからない金銭を受け取った金額が減ったので、仮受金(負債)が減ります。

売掛金を回収したときは売掛金(資産)が減ります。

仮 受 金 → 負 債 → ↓減った　売 掛 金 → 資 産 → ↓減った

問題集
基本問題24へ

163

個人が納めるのは所得税、会社が納めるのは法人税

法人税等とは

	負債
資産	資本
費用	収益

ほうじんぜいとう
法人税等ってなんだろう？

答え

　法人税等とは、法人税、住民税、事業税をまとめた税金の総称であり、会社の費用として法人税、住民税及び事業税（費用）で処理します。

　解説

　法人税、住民税、事業税は、会社の利益に対して課される税金であり、税法の規定によって金額を計算します。試験では、金額が与えられる場合と「税引前当期純利益の30％を法人税、住民税及び事業税に計上する」というように計算方法が書いてある場合があります。

　法人税等に関する仕訳は、以下の3つです。

① 中間申告
　期中に当期分の法人税等の一部をさきに納付します。
　当期分の税額は、期中にはまだ確定していないので仮払いとして処理します。

② 決算
　決算によって法人税等の税額が確定します。

③ 確定申告
　確定した法人税等の税額のうち未払分（中間申告により納付した金額を除いた分）を納付します。

113 中間申告により中間納付額を納めたとき

会計期間の途中で税金の一部を納めるよ！

資産

中間納付をしたときの仕訳をしてみよう！

クックウェア株式会社は、中間申告を行い、中間納付額10,000円を現金で納付した。

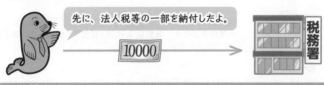

先に、法人税等の一部を納付したよ。

答え

| (仮払法人税等) | 10,000 | (現　　金) | 10,000 |

解説

中間申告により、法人税等の中間納付額を納付したときは、仮払法人税等（資産）が増えます。

仮払法人税等→資　産→⬆増えた　　現　　金→資　産→⬇減った

NEW 勘定科目

仮 払 法人税等（資産）

中間申告により、法人税等の中間納付額を納付したときは、仮払法人税等（資産）に記入します。

仮払法人税等	
＋	－

貸借対照表

資産／負債・資本

当期はいくら法人税等を納付するのかな？

114

決算において法人税等の金額が確定したとき（決算整理）

	負債
資産	
	資本
費用	収益

決算の結果、法人税等の金額が確定したときの仕訳をしてみよう！

クックウェア株式会社は、決算をむかえ、法人税等は18,000円と確定した。なお、中間申告において、10,000円を納付している。

中間申告のときに仮払法人税等（資産）で処理しているよ。

答え

（法人税、住民税及び事業税）	18,000	（仮払法人税等）	10,000
		（未払法人税等）	8,000

解説

決算において、法人税等の金額が確定したときは、法人税、住民税及び事業税（費用）が増えます。

NEW 勘定科目

法人税、住民税及び事業税（費用）

法人税等の金額が確定したときは、法人税、住民税及び事業税（費用）に記入します。

損益計算書

法人税、住民税及び事業税	
+	−

| 費用 | 収益 |

また、中間申告を行って中間納付額がある場合、仮払法人税等（資産）が減ります。法人税等の確定額と中間納付額との差額は未払いなので、未払法人税等（負債）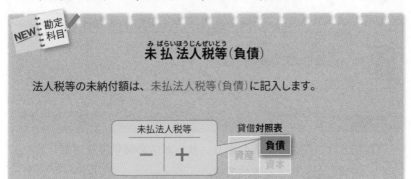が増えます。

　　未払法人税等：18,000円 − 10,000円 ＝ 8,000円

NEW 勘定科目

未払法人税等（負債）

法人税等の未納付額は、未払法人税等（負債）に記入します。

未払法人税等	
−	+

貸借対照表
負債

法人税、住民税及び事業税→費　用→⬆増えた　　仮払法人税等→資　産→⬇減った
　　　　　　　　　　　　　　　　　　　　　　未払法人税等→負　債→⬆増えた

Point

確定申告で法人税等を納付したとき

確定申告により、法人税等の未納付額8,000円を現金で納付したときの仕訳は以下のとおりです。

（未払法人税等）	8,000	（現　　金）	8,000

確定申告により、法人税等を納付したときは、未払法人税等（負債）が減ります。

未払法人税等→負　債→⬇減った　　現　　金→資　産→⬇減った

問題集
基本問題25へ

身近な税金だよね！

消費税とは

	負債
資産	資本
費用	収益

消費税ってなんだろう？

答え

　消費税とは、商品を購入したり、サービスの提供を受けたりしたときに、消費者が負担する税金です。

解説

　消費税は日常生活の中でも、買い物をするときなどに支払っているので非常に身近なものです。

　会社は、商品を仕入れるときなどに消費税を支払い、商品を販売したときなどに消費税を受け取ります。

消費税を
支払う

消費税を
受けとる

　会社は、受け取った消費税と支払った消費税の差額を納付することになります。

　また、消費税の会計処理には、税抜方式と税込方式がありますが、日商簿記では税抜方式のみが出題範囲となっています。

7章
115
消費税とは

　税抜方式は消費税額を、仮払消費税(資産)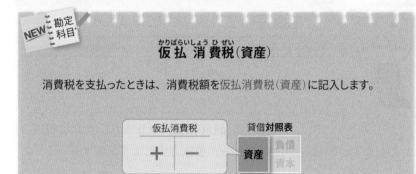と仮受消費税(負債)
という勘定科目を用いて仕訳します。

仮 払 消 費 税(資産)

消費税を支払ったときは、消費税額を仮払消費税(資産)に記入します。

仮払消費税		貸借対照表
＋	－	資産 / 負債 / 資本

仮 受 消 費 税(負債)

消費税を受け取ったときは、消費税額を仮受消費税(負債)に記入します。

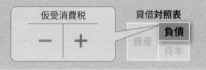

受け取った消費税と支払った消費税の差額分だけ納税することになるから、「仮受」「仮払」とするんだよ。

7章

115

消費税とは

消費税は分けて仕訳!
116 商品を仕入れたとき（消費税）

資産　負債
　　　資本
費用　収益

商品を仕入れたときの仕訳をしてみよう!

　クックウェア株式会社は、商品150,000円を仕入れ、代金は掛けとした。なお、消費税率は10%とし、税抜方式により記帳する。

買掛金といっしょに、あとで支払うからね。

消費税を払う

答え

（仕　　　入）	150,000	（買　掛　金）	165,000
（仮払消費税）	15,000		

解説

　税抜方式では、商品を仕入れたときは、消費税分の金額は仕入れには含めず、仮払消費税（資産）の増加として処理します。

　　仮払消費税：150,000円×10% = 15,000円

仕　　　入→費　用→⬆増えた	買　掛　金→負　債→⬆増えた
仮払消費税→資　産→⬆増えた	

7章
116
商品を仕入れたとき
（消費税）

117

消費税は分けて仕訳!
商品を販売したとき
（消費税）

商品を販売したときの仕訳をしてみよう!

クックウェア株式会社は、商品240,000円を販売し、代金は掛けとした。なお、消費税率は10%とし、税抜方式により記帳する。

売掛金といっしょに、
あとで回収するからね。

消費税を受け取る

 答え

| （売　掛　金） | 264,000 | （売　　　上） | 240,000 |
| | | （仮受消費税） | 24,000 |

解説

税抜方式では、商品を販売したときは、消費税分の金額は売上げには含めず、仮受消費税（負債）の増加として処理します。

仮受消費税：240,000円×10% = 24,000円

売　掛　金→資　産→↑増えた　　売　　　上→収　益→↑増えた
　　　　　　　　　　　　　　　仮受消費税→負　債→↑増えた

決算で消費税の納付額を確定！

決算をむかえたとき（消費税）

決算のときの消費税の仕訳をしてみよう！

クックウェア株式会社は、決算をむかえ、消費税の納付額を確定した。なお、仮受消費税勘定の残高は24,000円、仮払消費税勘定の残高は15,000円であった。

　答え

（仮受消費税）	24,000	（仮払消費税）	15,000
		（未払消費税）	9,000

　解説

決算整理において、仮払消費税（資産）と仮受消費税（負債）を減らし、差額を未払消費税（負債）^{NEW}で仕訳をします。

NEW 勘定科目

未払消費税（負債）

消費税の納付が確定したときは、納付額を未払消費税（負債）に記入します。

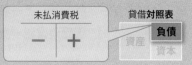

7章

118

決算をむかえたとき（消費税）

未払消費税：24,000円 − 15,000円 = 9,000円

仮受消費税→負　債→⬇減った　　仮払消費税→資　産→⬇減った
　　　　　　　　　　　　　　　未払消費税→負　債→⬆増えた

確定申告で消費税を現金で納付したときの仕訳は次のようになるよ。

| （未払消費税） | 9,000 | （現　　　金） | 9,000 |

消費税の税率の変更があった場合、10%から、変更後の税率に置き換えて考えるんじゃ！

問題集
基本問題26へ

7章
118
決算をむかえたとき
（消費税）

帳簿と金庫の中身が合わないよ！

現金過不足とは

現金過不足ってなんだろう？

答え

　実際の現金の残高（実際有高）と帳簿残高が一致しないことがあります。この一致しない額を現金過不足といいます。

解説

　現金の帳簿残高を実際有高に調整し、不一致の原因が判明するまで一時的に現金過不足（その他） という勘定科目を使います。

NEW 勘定科目

現金過不足（その他）

　現金の帳簿残高を実際有高に調整し、不一致の原因が判明するまで一時的に現金過不足（その他）という勘定科目を使います。振分けルールを用いないで仕訳を行います。

貸借対照表

現金過不足

| 資産 | 負債 |
| | 資本 |

帳簿残高
2,500 円

➡

帳簿残高
2,000 円

| 現金
過不足 | 現金 |
| 500円 | 500円 |

あれ？

現金過不足は
500 円だね！

1000 1000

120

何で現金が少ないんだろう？

実際の現金が足りない

資産	負債
	資本
費用	収益

現金が足りなかったときの仕訳をしてみよう！

　クックウェア株式会社は、金庫の中を調べたところ、現金2,000円があったが、帳簿残高は2,500円であった。

帳簿残高
2,500円

足りない!!!

答え

| （現金過不足） | 500 | （現　　金） | 500 |

解説

　現金の帳簿残高を実際有高に調整します。今回の例では、現金（資産）500円を減らします。そして、現金（資産）の仕訳の反対側に現金過不足（その他）を記入します。

現金過不足 → 現金の反対側　　**現　　金 → 資　産 → 減った**

| 現金過不足 | |
| 500 | |

実際に現金は減っているけど、何で現金が減っているかわからないよ。わからないから、一時的に現金過不足（その他）としておくよ。

何で現金が多いんだろう？

実際の現金が多いよ

現金が多かったときの仕訳をしてみよう！

クックウェア株式会社は、金庫の中を調べたところ、現金3,000円があったが、帳簿残高は2,500円であった。

帳簿残高
2,500 円

あれ？
多いよ…

？

答え

(現　　金)	500	(現金過不足)	500

　解説

現金の帳簿残高を実際有高に調整します。今回の例では、現金（資産）500円を増やします。そして、現金（資産）の仕訳の反対側に現金過不足（その他）を記入します。

現　　金 → 資　産 → ↑増えた　現金過不足 → 現金の反対側

現金過不足

	500

実際に現金は増えているけど、何で現金が増えているかがわからないよ。わからないから、一時的に現金過不足（その他）としておくよ。

何で現金が少ないか分かったよ!

現金過不足の原因がわかった

資産	負債
	資本
費用	収益

原因がわかったときの仕訳をしてみよう!

　クックウェア株式会社は、先日、金庫の中を調べたところ、現金2,000円があったが、帳簿残高は2,500円であった。本日、その原因が従業員マカロンの旅費交通費500円の記帳漏れであることが判明した。

500円
たりない…。

てんちょー!
交通費精算
しわすれてたよ!!

ゴメン!

　答え

| （旅費交通費） | 500 | （現金過不足） | 500 |

解説

　現金過不足の原因が判明したときは、判明した内容の仕訳を先に行って、その仕訳の反対側に現金過不足（その他）を記入します。

　旅費交通費の記帳漏れなので、旅費交通費（費用）が増えます。

旅費交通費 → 費　用 → ↑増えた　現金過不足 → 判明した勘定の反対側

123

何で現金が少ないか分からなかった！

現金過不足の原因がわからない

	負債
資産	
	資本
費用	収益

 以下の資料にもとづいて、現金過不足の原因がわからなかったときの決算整理仕訳をしてみよう！

　クックウェア株式会社は、先日、金庫の中を調べたところ、現金2,000円があったが、帳簿残高は2,500円であった。本日、決算をむかえ、現金過不足の整理に関する決算整理手続を行う。なお、現金過不足の原因は判明しなかった。

現金過不足	
500	

答え

（雑　　損）	500	（現金過不足）	500

解説

　現金過不足の原因が判明しなかったとき、現金過不足勘定の残高が借方残高のときは、雑損（費用）に振り替えます。

NEW 勘定科目

雑損（費用）

　現金不足の原因不明の金額は雑損（費用）に記入します。雑損と同様の意味で、雑損失（費用）を使うこともあります。

雑　　損	
＋	－

損益計算書

費用	収益

一方、貸方残高のときは、雑益(収益)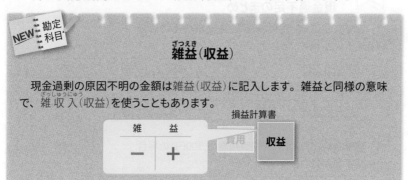に振り替えます。

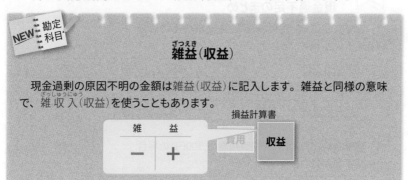

雑益(収益)

現金過剰の原因不明の金額は雑益(収益)に記入します。雑益と同様の意味で、雑収入(収益)を使うこともあります。

現金過不足勘定の残高は、借方残高500円なので、残高のある勘定科目(現金過不足)は貸方(右側)に記入し、移したい勘定科目(雑損)は借方(左側)に記入します。

| (雑　　損) | 500 | (現金過不足) | 500 |

現金過不足		雑　　損	
500	500	500	

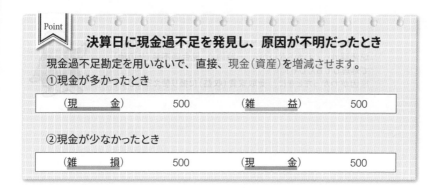

Point

決算日に現金過不足を発見し、原因が不明だったとき

現金過不足勘定を用いないで、直接、現金(資産)を増減させます。
①現金が多かったとき

| (現　　金) | 500 | (雑　　益) | 500 |

②現金が少なかったとき

| (雑　　損) | 500 | (現　　金) | 500 |

Point

現金過不足のまとめ

① 実際有高(2,000円)＜帳簿残高(2,500円)の場合

現金過不足が発生したとき

| (現金過不足) | 500 | (現　　　金) | 500 |

現金過不足の原因がわかったとき(旅費交通費の記帳漏れ)

| (旅費交通費) | 500 | (現金過不足) | 500 |

② 実際有高(3,000円)＞帳簿残高(2,500円)の場合

現金過不足が発生したとき

| (現　　　金) | 500 | (現金過不足) | 500 |

現金過不足の原因がわかったとき(受取家賃の記帳漏れ)

| (現金過不足) | 500 | (受 取 家 賃) | 500 |

①の場合は、現金過不足が発生した時点では、旅費交通費の記帳漏れってわからないから、一時的に、現金過不足(その他)で処理してるよ！
原因がわかったときに、旅費交通費(費用)に振り替えるんだ！

②の場合は、現金過不足が発生した時点では、受取家賃の記帳漏れってわからないから、一時的に、現金過不足(その他)で処理してるんじゃ！
原因がわかったときに、受取家賃(収益)に振り替えるんじゃ！

問題集
基本問題27へ

第8章

その他の取引

第8章では、その他の3級の論点についてみていきます。

8章

その他の取引

たくさんの人から資金を集められるよ！

株式会社とは

世の中に株式会社ってたくさんあるけど、株式会社って
なんだろう？

答え

　株式会社とは、株主の出資により、作られた会社のことです。株主
とは株式会社の出資者です。

解説

　個人では、出資する金銭に限界があります。しかし、株式会社は不
特定多数の人から出資を募ることができるので、たくさんの資金を集
めることができます。また、株主に対して株式（出資者としての権利）
を発行します。

　日商簿記3級では、資本グループを株主の出資部分（資本金）と会社
運営により生み出した利益部分（利益準備金・繰越利益剰余金）に区別
します。

株式会社を作ろう！
株式会社を設立したとき

以下の取引を仕訳して総勘定元帳に転記してみよう。

×1年4月1日、クックウェア株式会社（会計期間1年、決算日は3月31日）は設立にあたって、株式100株を1株10円で発行し、全額、当座預金口座への払込みがあった。

当座預金

答え

| 4/1 | （当座預金） | 1,000 | （資　本　金） | 1,000 |

当座預金	資　本　金
4/ 1 資本金 1,000	4/ 1 当座預金 1,000

解説

当座預金口座に払込みが行われているので、当座預金（資産）が増えます。また、会社運営のための出資額が増えるので、資本金（資本）が増えます。

当 座 預 金 → 資　産 → ↑増えた　資 本 金 → 資　本 → ↑増えた

会社の設立後に株式を発行することもあるんじゃ。
増資（ぞうし）というんじゃが、処理は同じじゃぞ！

これがないと続けられません‥‥

126 利益を計上したとき

決算となり、利益を計上したときの仕訳をしてみよう!

×2年3月31日、クックウェア株式会社は決算をむかえ、700円の利益を計上した。

利益がちょっと出た!

損　益

費　用	収　益
利　益 700円	

 答え

(損　　益)	700	(繰越利益剰余金)	700

解説

　損益勘定に当期の収益の勘定の残高と費用の勘定の残高を振り替えて、貸借差額により当期純利益を計算します。当期純利益となる場合、損益勘定は貸方残高となるので、繰越利益剰余金(資本)の貸方に振り替えます。

繰越利益剰余金を原資として配当することになるよ!

127

株主（出資者）に利益を還元しないとね！

剰余金の配当とは

	負債
資産	**資本**
費用	収益

剰余金の配当ってなんだろう？

答え

　剰余金の配当とは、会社が経営活動の成果としてあげた利益を株主に配当することをいいます。

解説

　株式会社では、経営活動の成果として得られた利益を繰越利益剰余金（資本）に計上しています。この利益を原資として株主に配当します。

経営活動で利益を出して…

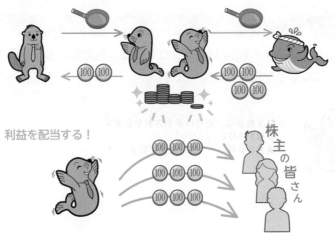

利益を配当する！

8章

127

剰余金の配当とは

185

128 配当することが決まったよ！
繰越利益剰余金の配当が決まったとき

資産	**負債**
	資本
費用	収益

株主総会により、配当が決まったときの仕訳をしてみよう！

クックウェア株式会社は、株主総会により繰越利益剰余金を以下のように処分することが決議された。

配当金：500円　　　利益準備金：50円

決議されただけで配当金の支払いはまだだよ。

答え

（繰越利益剰余金）	550	（未払配当金）	500
		（利益準備金）	50

解説

繰越利益剰余金の配当が決まったときは、利益準備金（資本）を積み立てることが決められています。

株主総会は、会社の基本方針や重要な事項を決めるところじゃ！
重要な事項の一つが剰余金の配当じゃ！

利益準備金を積み立てたときは、利益準備金(資本)を増やします。

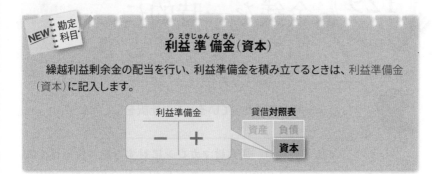

配当金はまだ支払いが行われていないので、未払配当金(負債) ^{NEW} が増えます。

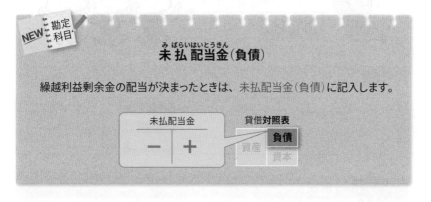

最後に、配当金と利益準備金の合計額の繰越利益剰余金(資本)が減ります。

繰越利益剰余金 → 資　本 → ↓減った　利益準備金 → 資　本 → ↑増えた
未払配当金 → 負　債 → ↑増えた

問題集
基本問題28へ

所得税や社会保険料を一時的に預かっているよ！

金銭を一時的に預かっているとき

資産	**負債**
	資本
費用	収益

お金を一時的に預かっているときの仕訳をしてみよう！

　クックウェア株式会社は、従業員マカロンに対する給料総額10,000円のうち、源泉所得税1,000円と、従業員負担の社会保険料500円を差し引き、残額を現金で支払った。

8,500円

答え

（給　　　料）	10,000	（所得税預り金）	1,000
		（社会保険料預り金）	500
		（現　　　金）	8,500

　解説

　給料を支払ったときは、給料（費用）**NEW** が増えます。

　一時的に所得税を預かったときは、所得税預り金（負債）**NEW** が、社会保険料を預かったときは、社会保険料預り金（負債）**NEW** が増えます。

> 所得税や従業員が負担する社会保険料を会社で預かって、従業員に代わって納付するんじゃ。
> 住民税を預かったときは住民税預り金（負債）**NEW** が増えることになるぞ！
> まとめて、預り金（負債）**NEW** とすることもあるぞ！

給料（費用）

給料総額は、給料（費用）に記入します。

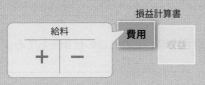

所得税預り金（負債）

一時的に所得税を預かった金額の増減は所得税預り金（負債）に記入します。

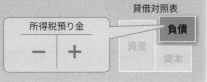

社会保険料預り金（負債）

一時的に社会保険料を預かった金額の増減は社会保険料預り金（負債）に記入します。

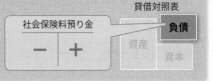

給　　　料 → 費　用 → ↑増えた	所得税預り金 → 負　債 → ↑増えた
	社会保険料預り金 → 負　債 → ↑増えた
	現　　　金 → 資　産 → ↓減った

130

預っていた所得税を納付したよ！

一時的に預かっている所得税を支払ったとき

源泉所得税を納付したときの仕訳をしてみよう！

　クックウェア株式会社は、従業員から預かっていた源泉所得税1,000円を現金で納付した。

 答え

（所得税預り金）	1,000	（現　　　金）	1,000

 解説

　源泉所得税を納付したときは、預かっている金額が減ったので、所得税預り金（負債）が減ります。

所得税預り金 → 負　債 → ⬇減った　現　　　金 → 資　産 → ⬇減った

Point

　所得税や社会保険料の他に、従業員から金銭を預かっているときは、従業員預り金（負債）🆕 を使うことがあります。

131

会社も社会保険料を負担しているよ！

一時的に預かっている 社会保険料を支払ったとき

資産｜負債
｜資本
費用｜収益

社会保険料を支払ったときの仕訳をしてみよう！

クックウェア株式会社は、預かっていた従業員負担の社会保険料500円と会社負担の社会保険料500円を現金で納付した。

答え

(社会保険料預り金)	500	(現　　金)	1,000
(法定福利費)	500		

解説

会社負担の社会保険料は、法定福利費(費用)が増えます。従業員負担の社会保険料は、社会保険料預り金(負債)が減ります。

NEW 勘定科目

法定福利費(費用)

会社が負担する社会保険料は、法定福利費(費用)に記入します。

損益計算書

法定福利費
＋｜－

費用｜収益

社会保険料預り金 → 負　債 → ↓減った　現　　金 → 資　産 → ↓減った
法定福利費 → 費　用 → ↑増えた

8章
131
一時的に預かっている社会保険料を支払ったとき

問題集
基本問題29へ

191

132

将来の貸倒れに備える！

貸倒引当金とは

<small>かし　だおれ　ひき　あて　きん</small>

	負債
資産	資本
費用	収益

かしだおれひきあてきん
貸倒引当金ってなんだろう？

答え

　貸倒れとは、得意先が倒産したとき、その得意先に対する売上債権（受取手形や売掛金など）が回収できなくなることです。貸倒引当金は決算において、将来の貸倒れに備えて、貸倒れの金額を見積ったときの見積額のことをいいます。

解説

　これは簿記独特の考え方なので、試験においては、理屈を抜きにして、見積額の計算方法と決算整理仕訳を覚えてしまいましょう。

　たとえば、決算において、売上債権の期末残高20,000円に対して1%の貸倒れを見積り、貸倒引当金を設定するとします。

　貸倒れの見積額は、決算日の売上債権の残高に対して、貸倒実績率を掛けて計算します。

　　見積額：20,000円 × 1% ＝ 200円

貸倒実績率は過去の貸倒れの実績にもとづいて計算するけど、試験では、問題文に与えられるから心配しないでね。この例では「1%」が貸倒実績率にあたるよ。

8章
132
貸倒引当金とは

Point

貸倒れの見積額の計算

見積額＝売上債権（受取手形・売掛金など）の期末残高×貸倒実績率

将来の貸倒れによる損失は、貸倒引当金繰入（費用）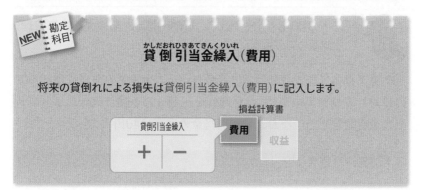が増えます。

NEW 勘定科目

かしだおれひきあてきんくりいれ
貸倒引当金繰入（費用）

将来の貸倒れによる損失は貸倒引当金繰入（費用）に記入します。

損益計算書

貸倒引当金繰入		費用	収益
＋	－		

　また、実際に貸し倒れたときは資産が減りますが、見積りの段階では実際に資産は減っていないので、売上債権（受取手形や売掛金など）の代わりに貸倒引当金（その他）を貸方（右側）に記入します。このように、ある勘定の身代わりになっている勘定科目を評価勘定といいます。減価償却累計額（固定資産の勘定の身代わり）も評価勘定です。

NEW 勘定科目

かしだおれひきあてきん
貸倒引当金（その他）

　将来の貸倒れの見積額は貸倒引当金（その他）に記入します。仕訳の振分けルールは「負債・資本・収益」用ルールを使います。

貸借対照表

貸倒引当金		資産	負債
－	＋		資本

貸倒引当金繰入 → 費　用 → ↑増えた　貸倒引当金 → その他 → ↑増えた

133

貸倒引当金が残っていたらどうする?

貸倒引当金の設定（差額補充法）

	資産	負債
		資本
	費用	収益

以下の資料にもとづいて、貸倒引当金を設定する決算整理仕訳をしてみよう!

クックウェア株式会社は、決算をむかえ、売掛金の期末残高20,000円に対して貸倒実績率1%の貸倒れを見積り、差額補充法により貸倒引当金を設定した。なお、貸倒引当金の残高は40円であった。

 答え

（貸倒引当金繰入）	160	（貸倒引当金）	160

 解説

差額補充法とは、決算にさいして、貸倒れの見積額と貸倒引当金の残高との差額を貸倒引当金に追加する方法です。

上記の差額を当期の貸倒引当金繰入（費用）とし、同時に貸倒引当金（その他）を増やします。

見積額：20,000円×1% = 200円　繰入額：200円 − 40円 = 160円

> **Point**
>
> **貸倒引当金の繰入額の計算**
>
> 貸倒引当金の繰入額＝見積額−貸倒引当金の残高

貸倒引当金繰入 → 費　用 → ↑増えた　貸倒引当金 → その他 → ↑増えた

もし、貸倒引当金の残高が210円だった（貸倒れの見積額を超えていた）場合、差額を当期の貸倒引当金戻入（収益） NEW とし、同時に貸倒引当金（その他）を減らします。

（貸倒引当金）	10	（貸倒引当金戻入）	10

残っている貸倒引当金を気にしてね!

売掛金の貸倒れ①

貸倒れが発生したときの仕訳をしてみよう…

　前期に発生した売掛金1,000円が得意先カツ商店の倒産により貸倒れた。なお、貸倒引当金の残高は1,500円である。

倒　産

答え

| （貸倒引当金） | 1,000 | （売　掛　金） | 1,000 |

解説

　前期以前に発生した売上債権（受取手形や売掛金など）が貸倒れたときに貸倒引当金が設定されている場合には、貸倒引当金を取り崩します。取り崩すとは、減額するということです。

　売掛金が貸倒れたときは、後日回収できる商品代金が減ったので、売掛金（資産）が減ります。

　前期に発生した売掛金が貸倒れて、貸倒引当金の残高があるときは、貸倒引当金（その他）が減ります。

貸倒引当金→その他→⬇減った　売　掛　金→資　産→⬇減った

8章
134
売掛金の貸倒れ①

195

135

貸倒引当金が足りなかったよ、どうする？

売掛金の貸倒れ②

資産　負債
　　　資本
費用　収益

貸倒れが貸倒引当金の額を超えたときの仕訳をしてみよう！

前期に発生した売掛金2,000円が得意先カツ商店の倒産により貸倒れた。なお、貸倒引当金の残高は1,500円である。

倒　産

答え

（貸倒引当金）	1,500	（売　掛　金）	2,000
（貸　倒　損　失）	500		

解説

前期以前に発生した売上債権（受取手形や売掛金など）が貸倒れ、貸倒引当金の残高を超えているときは、まず貸倒引当金を全額減らします。そして、貸倒引当金を超える額については貸倒損失（費用）を増やします。

NEW 勘定科目

貸倒損失（費用）

貸倒引当金の不足額や当期に発生した債権の貸倒れは貸倒損失（費用）に記入します。

損益計算書

貸倒損失	
＋	－

費用　収益

貸倒損失　2,000円 − 1,500円 = 500円

　売掛金が貸倒れたときは、後日回収できる商品代金が減ったので、売掛金(資産)が減ります。

> 貸倒引当金 → その他 → ↓減った　売　掛　金 → 資　　産 → ↓減った
> 貸 倒 損 失 → 費　　用 → ↑増えた

> 貸倒引当金の残高に注意しておかないと、下記のような間違いをしてしまうぞ。

| (貸倒引当金) | 2,000 | (売 掛 金) | 2,000 |

　当期に発生した売掛金(2,000円とします)が貸倒れたときには、貸倒損失(費用)で仕訳を行います。貸倒引当金の残高を取り崩さないように注意してください。

| (貸 倒 損 失) | 2,000 | (売 掛 金) | 2,000 |

> 貸倒引当金は前期末に残っている売掛金がどれだけ貸し倒れるかを見積もった金額だよね。
> だから、当期に発生した売掛金に対する貸倒れの見積りは行われていないので、貸倒引当金を取り崩さないんだよ。

136

貸倒れとした売掛金がちょっとだけ回収できた！

償却債権取立益

| 資産 | 負債 |
| 資本 |
| 費用 | **収益** |

前期に貸倒れ処理した債権が回収できたときの仕訳をして
みよう！

前期に貸倒れとして処理していた売掛金10,000円のうち、1,000円
を現金で回収した。

回収できちゃった、ラッキー！

答え

| （現　　　金） | 1,000 | （償却債権取立益） | 1,000 |

解説

前期に貸倒れとして処理していた売掛金を回収したときは、償却債
権取立益（収益） が増えます。

NEW 勘定科目

しょうきゃくさいけんとりたてえき
償却債権取立益（収益）

前期以前に貸倒れとして処理した売上
債権（受取手形や売掛金など）について、
その一部または全部を回収できた額は償
却債権取立益（収益）に記入します。

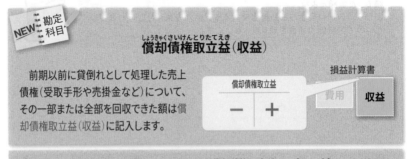

現　　　金 → 資　産 → ↑増えた　償却債権取立益 → 収　益 → ↑増えた

Point

当期に回収したときは、当期の収益とする

　前期に貸倒れとして処理（前期に発生した売掛金とします）したときに、次の仕訳をしています。

（貸 倒 損 失）	10,000	（売 　掛 　金）	10,000

　しかし、当期に売掛金の一部が回収されたといって、前期の仕訳を修正することはしません。当期に回収した分は、当期の収益として計上することになります。

前期の費用を変えちゃうと、前期の利益も変わって大変だよね！
だから、前期の費用を減らすんじゃなくて、当期の収益にするって考えよう！

問題集
基本問題30へ

137

間違って仕訳をしていたよ!!!

訂正仕訳とは

以下の資料にもとづいて、訂正仕訳をしてみよう!

クックウェア株式会社は、商品600円を掛けで仕入れた取引で、誤って貸方を売掛金と仕訳していた。

間違って仕訳をしちゃったよ。どうしよう?

(仕　　入)	600	(売　掛　金)	600

答え

(売　掛　金)	600	(買　掛　金)	600

解説

訂正仕訳とは、誤って行った仕訳を正しい仕訳に修正するための仕訳です。

訂正仕訳の手順にしたがって仕訳を行っていきます。

> Point
>
> ### 誤って仕訳をしてしまったとき
>
> 訂正仕訳を行って誤りを修正する手順は以下のとおりです。
> ① 誤った仕訳の貸借逆仕訳
> ② 正しい仕訳
> ③ ①と②の仕訳を合算・相殺→訂正仕訳

8章
137
訂正仕訳とは

① 誤った仕訳の貸借逆仕訳

| （売　掛　金） | 600 | （仕　　　入） | 600 |

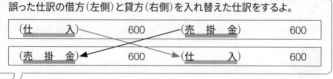

誤った仕訳の借方（左側）と貸方（右側）を入れ替えた仕訳をするよ。

| （仕　　　入） | 600 | （売　掛　金） | 600 |
| （売　掛　金） | 600 | （仕　　　入） | 600 |

② 正しい仕訳

| （仕　　　入） | 600 | （買　掛　金） | 600 |

③ ①と②の2つの仕訳を合算・相殺（訂正仕訳）

| （売　掛　金） | 600 | （買　掛　金） | 600 |

　相殺とは、借方と貸方に同一の勘定科目があった場合に、金額の増減を打ち消し合うことです。この例だと、借方の「（仕入）600」は「仕入が600増えた」を意味し、貸方の「（仕入）600」は「仕入が600減った」ということを意味します。したがって、600増えて、600減っているので、プラスマイナス0になります。

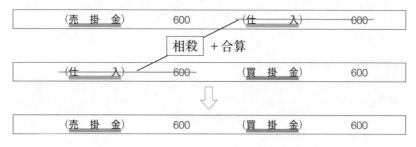

| （売　掛　金） | 600 | （仕　　　入） | 600 |

相殺 ＋合算

| （仕　　　入） | 600 | （買　掛　金） | 600 |

| （売　掛　金） | 600 | （買　掛　金） | 600 |

問題集
基本問題31へ

小口は少額、小口の反対は大口だよ!

小口現金
こ　ぐち　げん　きん

小口現金を渡したときの仕訳をしてみよう!

クックウェア株式会社は、交通費の精算などに使えるように小口現金係に小切手1,000円を振り出して渡した。

小切手
1,000円

小口現金係

答え

（小口現金）	1,000	（当座預金）	1,000

解説

小口現金とは、各部署の交通費などの精算を各部署で行えるように、経理担当者が、各部署の小口現金を管理する担当者(小口現金係もしくは用度係という)に渡した現金や小切手のことです。

小口現金係に小切手を渡したときは、小口現金(資産) **NEW** が増え、当座預金(資産)が減ります。

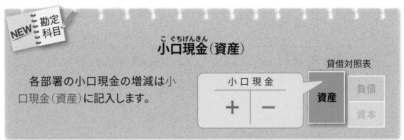

NEW 勘定科目

小口現金(資産)
こ　ぐちげんきん

各部署の小口現金の増減は小口現金(資産)に記入します。

小口現金

＋　−

貸借対照表

資産　負債

資本

小 口 現 金 → 資　産 →↑増えた　当 座 預 金 → 資　産 →↓減った

部署単位で精算してくれるから助かるな！

小口現金係からの支払報告

資産	負債
	資本
費用	収益

小口現金係から報告を受けたときの仕訳をしてみよう！

クックウェア株式会社は、小口現金係から旅費交通費600円、通信費300円の支払いを行ったという報告を受けた。

旅費交通費
600 円
通信費
300 円

答え

（旅費交通費）	600	（小 口 現 金）	900
（通 信 費）	300		

解説

旅費交通費（費用）、通信費（費用）が増えます。小口現金係から支払いの報告を受けたので、小口現金（資産）が減ります。

旅費交通費→費　用→↑増えた　小 口 現 金→資　産→↓減った
通 信 費→費　用→↑増えた

8章
139
小口現金係からの
支払報告

補給のタイミングに注意!

140 小口現金の補給

資産

小口現金を補給したときの仕訳をしてみよう!

クックウェア株式会社は、小口現金係から旅費交通費600円、通信費300円の支払いを行ったという報告を先週末に受けたので、本日、使用した900円分の小切手を振り出して小口現金係に渡した。

答え

(小 口 現 金)	900	(当 座 預 金)	900

解説

経理担当者が各部署の小口現金係に、使用した分だけ現金や小切手を渡すことがあります。小口現金を補給したとき、常に一定額になるように補給することを定額資金前渡制度(インプレスト・システム)といいます。

小口現金 → 資 産 → ↑増えた　当座預金 → 資 産 → ↓減った

小口現金の支払報告と小口現金の補給を同時に行った場合は、2つの仕訳を合算して小口現金を相殺することができます。

(旅費交通費)	600	~~(小 口 現 金)~~	~~900~~
(通 信 費)	300		
~~(小 口 現 金)~~	~~900~~	(当 座 預 金)	900

問題集
基本問題32へ

8章　140　小口現金の補給

141

保険料を立て替えて払っておいたよ!!

金銭を
立て替えたとき

お金を立て替えたときの仕訳をしてみよう!

クックウェア株式会社は、従業員の生命保険料2,000円を立て替え
て現金で支払った。

答え

| （立　替　金） | 2,000 | （現　　　金） | 2,000 |

解説

従業員の保険料を立て替えたときは、立替金（資産）NEW が増えます。

NEW 勘定科目

たてかえきん
立替金（資産）

　一時的に立て替えたときの金額
の増減は立替金（資産）に記入しま
す。なお、従業員に対して立て替
えたときは、従業員立替金（資産）
を使うこともあります。

貸借対照表

立　替　金
＋	－

資産

負債

資本

立　替　金 → 資　産 → ⬆増えた　　現　　　金 → 資　産 → ⬇減った

142 表示場所に注意!
減価償却累計額・
貸倒引当金の表示

減価償却累計額、貸倒引当金はどのように財務諸表に表示するの？

答え

減価償却累計額、貸倒引当金ともに、資産の控除形式で、貸借対照表に表示します。

解説

貸借対照表の一部を抜粋した例は以下のとおりです。

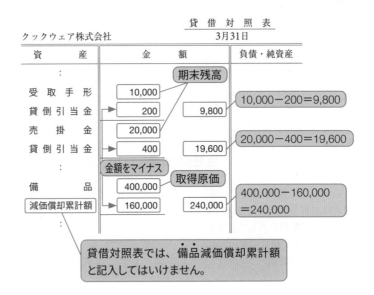

8章

142
減価償却累計額・貸倒引当金の表示

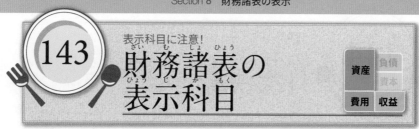

表示科目に注意！
財務諸表の表示科目

財務諸表に表示する名称が勘定科目と異なるものがあるってホント？

答え

	勘定科目	表示科目
資産	繰越商品	商　品
費用	仕　入	売上原価
収益	売　上	売上高

解説

　決算整理後の仕入勘定の残高は売上原価の金額になっているので、損益計算書の表示科目も売上原価になります。まずは答えの3つをしっかり押さえてください。

　また、答え以外にも、費用の前払い項目（資産）である前払保険料、前払家賃などをひとまとめにして、前払費用と表示します。この他にも、収益の未収項目（資産）をまとめて未収収益と表示、費用の未払い項目（負債）をまとめて未払費用と表示、収益の前受け項目（負債）をまとめて前受収益と表示します。

貸借対照表

クックウェア株式会社　　3月31日

資　　産	金額	負債・純資産	金額
:		:	
前払費用	200	未払費用	50
未収収益	100	前受収益	30
:		:	

問題集
基本問題33へ

8章
143
財務諸表の表示科目

144

利益がわかるのが、年に1回では心もとないから

月次決算とは

月次決算ってなんだろう？

答え

月次決算とは、経営管理のために毎月実施する決算です。

年次決算と違って、簡易な決算手続になるよ。

解説

年1回の決算では、年1回しか利益となったのか、損失となったのか、わかりません。これでは、期中に損失となっていても決算までわからず、対応が遅れて倒産するおそれもあります。

そこで、毎月、簡易な決算を行い、業績を把握するようにします。

こうすることで、前月との比較や、前年同月との比較でもできるようになり便利です。

日商簿記3級では、減価償却費の見積額を年次決算月以外の月末に計上する処理に限定して出題されます。

年次決算において、月次決算で計上してきた見積額の合計と、年間確定額との差額を調整するんじゃ。

第9章

補助簿・伝票

第9章では、補助簿・伝票についてみていきます。

補助簿は仕訳帳や総勘定元帳と違って必ずしも必要なものではありませんが、経営管理上、役立つ帳簿です。たとえば、在庫管理に役立つ補助簿として商品有高帳というものがあります。

伝票は、仕訳帳の代わりに利用するもので、記帳作業を分担することができます。

Section 1 | 帳簿

Section 2 | 伝票

145

取引を仕訳して仕訳帳に清書しよう!

仕訳帳(しわけちょう)

次の取引の仕訳を仕訳帳に清書してみよう!

クックウェア株式会社は、次の取引の仕訳を仕訳帳に清書した。

5月1日	（現　　金）	1,000	（売　　上）	1,000
7月1日	（仕　　入）	200	（買掛金）	150
			（現　　金）	50
9月1日	（売掛金）	200	（売　　上）	300
	（現　　金）	100		

答え

仕　訳　帳

○年		摘　　要		元丁	借方	貸方
5	1	（現　　金）			1,000	
			（売　　上）			1,000
7	1	（仕　　入）	諸　　口		200	
			（買　掛　金）			150
			（現　　金）			50
9	1	諸　　口	（売　　上）			300
		（売　掛　金）			200	
		（現　　金）			100	

解説

日付欄…日付を記入

摘要欄…仕訳の勘定科目を記入

元丁欄…総勘定元帳の元帳番号を記入

借方欄・貸方欄…金額を記入

※摘要欄の記入方法

　　真ん中より、左側が借方、右側が貸方となります。

　　勘定科目は1行につき1つです。また、原則として、借方の
勘定科目から記入します。一方に勘定科目が複数ある場合には、
一番上の行に「諸口」と記入します。

　　例外として、借方の勘定科目が複数、貸方の勘定科目が1つ
の場合のみ、貸方の勘定科目から記入します。

> 試験で仕訳帳に記入させることはほとんどないけど、仕訳帳の
> 記入内容は読み取れるようにしておこう。

　仕訳帳は主要簿でした。主要簿のほかに、補助簿というものがあり
ます。補助簿とは、経営管理の上で必要な取引の明細などを記録する
帳簿で、補助記入帳と補助元帳に分類できます。

Point 補助簿の種類

補助記入帳…特定の取引の明細を発生順に記録する補助簿
現金出納帳…現金の増減を記録する補助簿
当座預金出納帳…当座預金の増減を記録する補助簿
小口現金出納帳…小口現金の増減を記録する補助簿
仕入帳…仕入の増減を記録する補助簿
売上帳…売上の増減を記録する補助簿
受取手形記入帳…受取手形の増減を記録する補助簿
支払手形記入帳…支払手形の増減を記録する補助簿
補助元帳…特定の勘定の明細を取引先や商品別に記録する補助簿
商品有高帳…商品の種類別に商品在庫の増減を記録する補助簿
売掛金元帳（得意先元帳）…得意先ごとの売掛金の増減を記録する補助簿
買掛金元帳（仕入先元帳）…仕入先ごとの買掛金の増減を記録する補助簿
固定資産台帳…固定資産ごとに取得年月日、取得原価、耐用年数などを 　　　　　　　　　記録する補助簿

9章
145
仕訳帳

146

仕訳帳から総勘定元帳に転記しよう！

総勘定元帳

⑭の仕訳帳から総勘定元帳に転記してみよう！

答え

仕　訳　帳　　　　　　　　　　1

○年		摘　　　要		元丁	借方	貸方
5	1	（現　　　　金）		1	1,000	
			（売　　　　上）	4		1,000
7	1	（仕　　　　入）	諸　　　口	5	200	
			（買　掛　金）	3		150
			（現　　　　金）	1		50
9	1	諸　　　口	（売　　　　上）	4		300
		（売　掛　金）		2	200	
		（現　　　　金）		1	100	

総　勘　定　元　帳
現　　金

日付		摘　　要	仕丁	借方	日付		摘　　要	仕丁	貸方
4	1	前　期　繰　越	✓	2,000	7	1	仕　　　　入	1	50
5	1	売　　　　上	1	1,000					
9	1	売　　　　上	1	100					

売　掛　金　　　　　　　　2

日付		摘　　要	仕丁	借方	日付		摘　　要	仕丁	貸方
4	1	前　期　繰　越	✓	600					
9	1	売　　　　上	1	200					

買掛金　　　　　　　　3

日付		摘　要	仕丁	借方	日付		摘　要	仕丁	貸方
					4	1	前　期　繰　越	✓	500
					7	1	仕　　　　　入	1	150

売　上　　　　　　　　4

日付		摘　要	仕丁	借方	日付		摘　要	仕丁	貸方
					5	1	現　　　　　金	1	1,000
					9	1	諸　　　　　口	1	300

仕　入　　　　　　　　5

日付		摘　要	仕丁	借方	日付		摘　要	仕丁	貸方
7	1	諸　　　　　口	1	200					

 解説

日付欄…日付を記入

摘要欄…仕訳の相手勘定科目を記入。相手勘定科目が複数ある場合には、「諸口」と記入。

仕丁欄…仕訳帳の右上のページ番号を記入。前期繰越、次期繰越のときは「✓」を記入。

借方欄・貸方欄…金額を記入

元帳番号…総勘定元帳のページ番号

仕　入　　　　　　　　5

日付		摘　要	仕丁	借方	日付	摘　要	仕丁	貸方
7	1	諸　　　　　口	1	200				

ココがＴフォームのＴ字になっています。

問題集
基本問題34へ

9章
146
総勘定元帳

213

現金の増減を記入しよう！

現金出納帳

	負債
資産	資本
費用	収益

以下の取引を現金出納帳に記帳してみよう！

クックウェア株式会社は、現金出納帳を導入しました。

7月 1日　月初の現金残高は1,200円。

8日　切手200円を現金で購入した。

19日　買掛金300円を現金で支払った。

25日　そば商店に商品800円を販売し、代金は現金で受け取った。

31日　現金出納帳を締め切った。

答え

現 金 出 納 帳

○年		摘　要	収　入	支　出	残　高
7	1	前月繰越	1,200		1,200
	8	通信費の支払い		200	1,000
	19	買掛金の支払い		300	700
	25	そば商店へ売上げ	800		1,500
	31	次月繰越		1,500	
			2,000	2,000	
8	1	前月繰越	1,500		

解説

日付欄…日付を記入	摘要欄…取引の内容を記入
収入欄…現金が増加したときに記入	支出欄…現金が減少したときに記入

残高欄…現金の残高を記入

※次月繰越は、支出欄に記入。前月繰越は、収入欄に記入。

当座預金の増減を記入しよう！

当座預金出納帳

資産

以下の取引を当座預金出納帳に記帳してみよう！

　クックウェア株式会社は、当座預金出納帳を導入しました。

9月　1日　月初の当座預金残高は600円。

　　　9日　買掛金200円の支払いのため、小切手を振り出して渡した。

　　18日　当社受取りの約束手形1,000円が入金された。

　　25日　備品500円を購入し、代金は小切手を振り出して渡した。

　　30日　当座預金出納帳を締め切った。

答え

当座預金出納帳

○年		摘　　要	預　入	引　出	借または貸	残　高
9	1	前月繰越	600		借	600
	9	買掛金の支払い		200	〃	400
	18	手形代金の決済	1,000		〃	1,400
	25	備品の購入		500	〃	900
	30	次月繰越		900		
			1,600	1,600		
10	1	前月繰越	900		借	

解説

日付欄…日付を記入	摘要欄…取引の内容を記入

預入欄…当座預金が増加したときに記入	引出欄…当座預金が減少したときに記入

借または貸欄…借方残高ならば「借」、貸方残高ならば「貸」と記入

残高欄…当座預金の残高を記入

※次月繰越は、引出欄に記入。前月繰越は、預入欄に記入。

問題集
基本問題35へ

9章
148
当座預金出納帳

149

小口現金の支払い明細を記入しよう！

小口現金出納帳
（週末（月末）補給）

資産｜負債｜資本｜費用｜収益

以下の取引を小口現金出納帳に記帳してみよう！
（茶菓子代など細かく管理する必要のないものは雑費（費用）**NEW**で）
処理するよ。

　クックウェア株式会社は、小口現金出納帳を導入しました。なお、定額資金前渡制度を採用している。また、小口現金の補給は毎週金曜である。

7月　1日（月）　前週繰越額は5,000円。

　　　3日（水）　電車代800円を支払った。

　　　4日（木）　携帯電話代3,000円を支払った。

　　　5日（金）　来客用茶菓子代500円を支払った。
　　　　　　　　週末につき、小口現金を4,300円補給した。

答え

小口現金出納帳

受　入	○年		摘　　要	支　払	内　　訳		
					通信費	交通費	雑　費
5,000	7	1	前　週　繰　越				
		3	電　車　代	800		800	
		4	携　帯　電　話　代	3,000	3,000		
		5	茶　菓　子　代	500			500
			合　　　計	4,300	3,000	800	500
4,300		5	小　切　手　補　給				
		〃	次　週　繰　越	5,000			
9,300				9,300			
5,000	7	8	前　週　繰　越				

解説

受入欄…小口現金の補給額、前週の繰越額を記入

日付欄…日付を記入　　　　　摘要欄…支払内容を記入

支払欄…支払金額を記入　　　内訳欄…支払内容の内訳を記入

　※次週繰越は、支払欄に記入。前週繰越は、受入欄に記入。

150 小口現金出納帳
（翌週（月初）補給）

小口の補給のタイミングに注意！

| 資産 | 負債 |
| 資本 |
| 費用 | 収益 |

以下の取引を小口現金出納帳に記帳してみよう！

　クックウェア株式会社は、小口現金出納帳を導入しました。なお、定額資金前渡制度を採用している。また、小口現金の補給は毎週月曜である。

7月 1日（月）　前週繰越額は800円。4,200円の小切手を補給した。

　　 3日（水）　電車代800円を支払った。

　　 4日（木）　携帯電話代3,000円を支払った。

　　 5日（金）　来客用茶菓子代500円を支払った。

 答え

小口現金出納帳

受　入	○年		摘　要	支　払	内　訳		
					通信費	交通費	雑　費
800	7	1	前　週　繰　越				
4,200		〃	小 切 手 補 給				
		3	電　車　代	800		800	
		4	携 帯 電 話 代	3,000	3,000		
		5	茶　菓　子　代	500			500
			合　　　計	4,300	3,000	800	500
		5	次　週　繰　越	700			
5,000				5,000			
700	7	8	前　週　繰　越				
4,300		〃	小 切 手 補 給				

解説

受入欄…小口現金の補給額、前週の繰越額を記入

日付欄…日付を記入　　摘要欄…支払内容を記入

支払欄…支払金額を記入　内訳欄…支払内容の内訳を記入

※次週繰越は、支払欄に記入。前週繰越は、受入欄に記入。

問題集
基本問題36へ

9章

150
（翌週（月初）補給）
小口現金出納帳

151

仕入の増減を記入しよう！

仕入帳

以下の取引を仕入帳に記帳してみよう！

クックウェア株式会社は、仕入帳を導入しました。

7月 5日　アヒー商店より商品10個（鍋A、@600円）を仕入れ、代金は小切手を振り出して支払った。なお、引取運賃500円は現金で支払った。

　　15日　クス商店より商品20個（フライパンB、@200円）を仕入れ、代金は掛けとした。

　　23日　15日に仕入れた商品5個（フライパンB、@200円）が汚れていたため、返品した。

　　31日　仕入帳を締め切った。

答え

仕　入　帳

○年		摘　　要		内　訳	金　額
7	5	アヒー商店　　　　　　　　小切手振出し			
		鍋A　@600円　10個		6,000	
		引取運賃現金払い　500円		500	6,500
	15	クス商店　　　　　　　　　　　　掛			
		フライパンB　@200円　20個			4,000
	23	クス商店　　　　　　　　　　掛戻し			
		フライパンB　@200円　5個			1,000
	31		総 仕 入 高		10,500
	〃		仕 入 戻 し 高		1,000
			純 仕 入 高		9,500

解説

日付欄…取引の日付を記入	摘要欄…商店名、商品名、単価、数量などを記入
内訳欄…取引内容の内訳金額を記入	金額欄…仕入金額を記入

※月末には総仕入高、仕入戻し高、純仕入高を記入して締め切ります。

9章
151
仕入帳

152

売上の増減を記入しよう！

資産	負債
	資本
費用	**収益**

売上帳

以下の取引を売上帳に記帳してみよう！

クックウェア株式会社は、売上帳を導入しました。

7月　6日　カツ商店に商品10個（鍋A、@800円）を販売し、代金は小
切手で受け取った。

　　16日　そば商店に商品20個（フライパンB［15個、@900円］、フ
ライパンC［5個、@700円］）を販売し、代金は掛けとした。

　　24日　16日に販売した商品15個（フライパンB）が汚れていたた
め、返品された。

　　31日　売上帳を締め切った。

答え

売　上　帳

○年		摘　　　要		内　訳	金　額
7	6	カツ商店　　　　　　　　　　小切手受取			
		鍋A　@800円　10個			8,000
	16	そば商店　　　　　　　　　　　　掛			
		フライパンB　@900円　15個		13,500	
		フライパンC　@700円　5個		3,500	17,000
	24	そば商店　　　　　　　　　　　掛戻り			
		フライパンB　@900円　15個			**13,500**
	31		総売上高		25,000
	〃		売上戻り高		13,500
			純売上高		11,500

解説

日付欄…日付を記入	摘要欄…商店名、商品名、単価、数量などを記入
内訳欄…取引内容の内訳金額を記入	金額欄…売上金額を記入

※月末には総売上高、売上戻り高、純売上高を記入して締め切ります。

問題集
基本問題37へ

153

商品ごとに原価の増減を記入しよう！

商品有高帳
(先入先出法)

資産	負債
費用	資本
	収益

以下の取引を先入先出法により商品有高帳に記帳してみよう！

クックウェア株式会社は、商品有高帳を導入しました。

7月　1日　鍋Aの前月繰越　2個　原価@800円

　　10日　アヒー商店より商品8個（鍋A、原価@700円）を仕入れ、代金は掛けとした。

　　20日　カツ商店に商品7個（鍋A、売価@1,000円）を販売し、代金は掛けとした。

答え

商品有高帳
鍋A

(先入先出法)

日付		摘　要	受　入			払　出			残　高		
			数量	単価	金額	数量	単価	金額	数量	単価	金額
7	1	前 月 繰 越	2	800	1,600				2	800	1,600
	10	仕　　　入	8	700	5,600				2	800	1,600
									8	700	5,600
	20	売　　　上				2	800	1,600			
						5	700	3,500	3	700	2,100

解説

日付欄…日付を記入

摘要欄…取引内容を記入

受入欄…商品を仕入れたときの数量・単価・金額を記入

払出欄…商品を販売したときの数量・単価・金額を記入

　※単価の計算には、日商簿記3級では先入先出法と移動平均法があります。

残高欄…商品の在庫の数量・単価・金額を記入

　先入先出法とは、先に仕入れたものから先に販売したと仮定して、商品の払出単価を決定する方法です。

> 　前月繰越分を受入欄と残高欄に記入します。

> 　商品を仕入れたときは古い在庫の下の行に記入します。単価の異なるものが2つ以上あるときには、「　｛　」でくくります。

> 　商品を販売したときは、古い在庫から販売したと考えるので、より古い@800円の在庫（前月繰越分2個）から先に払い出したと考えます。そして、次に古い@700円の在庫（10日仕入分）のうち5個を払い出したと考えます。

商　品　有　高　帳

鍋A

（先入先出法）

日付		摘　　要	受　　入			払　　出			残　　高		
			数量	単価	金額	数量	単価	金額	数量	単価	金額
7	1	前 月 繰 越	2	800	1,600				2	800	1,600
	10	仕　　　　　入	8	700	5,600				2	800	1,600
									8	700	5,600
	20	売　　　　　上				2	800	1,600			
						5	700	3,500	3	700	2,100

154

平均単価の計算をできるようにしよう！
商品有高帳
（移動平均法）

資産	負債
費用	資本
	収益

以下の取引を移動平均法により商品有高帳に記帳してみよう！

クックウェア株式会社は、商品有高帳を導入しました。

7月 1日　鍋Aの前月繰越　2個　原価@800円

　　10日　アヒー商店より商品8個（鍋A、原価@700円）を仕入れ、代金は掛けとした。

　　20日　カツ商店に商品7個（鍋A、売価@1,000円）を販売し、代金は掛けとした。

答え

商品有高帳
鍋A

（移動平均法）

日付		摘　要	受　入			払　出			残　高		
			数量	単価	金額	数量	単価	金額	数量	単価	金額
7	1	前 月 繰 越	2	800	1,600				2	800	1,600
	10	仕　入	8	700	5,600				10	720	7,200
	20	売　上				7	720	5,040	3	720	2,160

解説

移動平均法とは、商品を仕入れたつど、在庫単価を平均化し、その平均化した在庫単価（平均単価）により払出単価を決定する方法です。

10日に仕入れたときの平均単価の計算は以下のとおりです。

$$平均単価：\frac{1,600円＋5,600円}{2個＋8個}＝\frac{7,200円}{10個}＝720円/個$$

Point

平均単価

$$平均単価 = \frac{仕入直前の在庫原価＋今回の仕入原価}{仕入直前の在庫数量＋今回の仕入数量}$$

商 品 有 高 帳
鍋A

（移動平均法）

日付		摘　　要	受　入			払　出			残　高		
			数量	単価	金額	数量	単価	金額	数量	単価	金額
7	1	前 月 繰 越	2	800	1,600				2	800	1,600
	10	仕　　　入	8	700	5,600				10	720	7,200
	20	売　　　上				7	720	5,040	3	720	2,160
	31	次 月 繰 越				3	720	2,160			
			10		7,200	10		7,200			
8	1	前 月 繰 越	3	720	2,160				3	720	2,160

20日に商品を販売したときは払出欄の単価欄に販売直前の平均単価である720円を記入します。商品を販売したときは平均単価が変化しないので、残高欄の単価欄も720円となります。

月末の次月繰越の記入は、先入先出法、移動平均法にかかわらず記入方法は同じです。

次月繰越は月末時点の在庫単価を示す1行上の20日の残高欄の金額を払出欄と、次の月の前月繰越の受入欄に記入します。

9
章

154

商品有高帳
（移動平均法）

問題集
基本問題38へ

223

155

受取手形の増減を読み取ろう！

受取手形記入帳

<small>うけ とり て がた き にゅう ちょう</small>

資産　負債
　　　資本
費用　収益

以下の取引を受取手形記入帳に記帳してみよう！

クックウェア株式会社は、受取手形記入帳を導入しました。

7月　1日　そば商店に商品2,000円を販売し、代金はそば商店振出し
　　　　　の約束手形を受け取った。

9月　1日　カツ商店に対する売掛金1,000円について、カツ商店振出
　　　　　しの約束手形を受け取った。

　　30日　7月1日に受け取った約束手形の満期日が到来し、当座預
　　　　　金口座に入金された。

答え

受取手形記入帳

○年		摘要	金額	手形種類	手形番号	支払人	振出人	振出日		満期日		支払場所	てん末		
								月	日	月	日		月	日	摘要
7	1	売　上	2,000	約手	11	そば	そば	7	1	9	30	クック銀行	9	30	当座入金
9	1	売掛金	1,000	約手	22	カツ	カツ	9	1	11	30	ウェア銀行			

解説

日付欄…日付を記入	摘要欄…取引内容を記入
金額欄…手形金額を記入	手形種類欄…手形の種類（約束手形）を記入
手形番号欄…手形番号を記入	支払人欄…手形代金の支払人を記入
振出人欄…手形の振出人を記入	振出日欄…手形の振出日を記入
満期日欄…手形の満期日を記入	支払場所欄…支払場所を記入
てん末欄…手形の決済を記入	

156

支払手形の増減を読み取ろう！

支払手形記入帳

	負債
資産	資本
費用	収益

以下の取引を支払手形記入帳に記帳してみよう！

クックウェア株式会社は、支払手形記入帳を導入しました。

8月 1日　アヒー商店より商品2,500円を仕入れ、代金は約束手形を振り出した。

　　21日　クス商店に対する買掛金1,500円の支払いのため、約束手形を振り出した。

10月31日　8月1日に振り出した約束手形の満期日が到来したので、当座預金口座より引き落とされた。

答え

支払手形記入帳

○年		摘要	金額	手形種類	手形番号	受取人	振出人	振出日		満期日		支払場所	てん末		
								月	日	月	日		月	日	摘要
8	1	仕　入	2,500	約手	10	アヒー	当社	8	1	10	31	クック銀行	10	31	当座引落
	21	買掛金	1,500	約手	20	クス	当社	8	21	11	30	クック銀行			

解説

日付欄…日付を記入	摘要欄…取引内容を記入
金額欄…手形金額を記入	手形種類欄…手形の種類（約束手形）を記入
手形番号欄…手形番号を記入	受取人欄…手形代金の受取人を記入
振出人欄…手形の振出人を記入	振出日欄…手形の振出日を記入
満期日欄…手形の満期日を記入	支払場所欄…支払場所を記入
てん末欄…手形の決済を記入	

問題集
基本問題39へ

9章
156
支払手形記入帳

157 売掛金元帳（得意先元帳）

各商店の売掛金の増減を記入しよう！

資産

以下の取引を売掛金元帳に記帳してみよう！

クックウェア株式会社は、売掛金元帳を導入しました。

9月　1日　売掛金の前月繰越4,000円。

　　　　　（内訳　そば商店：1,500円、カツ商店：2,500円）

　　　8日　そば商店に商品1,600円を販売し、代金は掛けとした。

　　　12日　カツ商店に商品1,400円を販売し、代金は掛けとした。

　　　21日　8日に販売した商品に傷があったため、返品を受け、掛け代金と相殺した。

　　　26日　カツ商店より売掛金3,500円を現金で回収した。

　　　27日　そば商店より売掛金600円を現金で回収した。

　　　30日　売掛金元帳を締め切った。

答え

売　掛　金　元　帳
そば商店

○年		摘　　要	借　方	貸　方	借または貸	残　高
9	1	前月繰越	1,500		借	1,500
	8	商品売上げ	1,600		〃	3,100
	21	売上返品		1,600	〃	1,500
	27	現金回収		600	〃	900
	30	次月繰越		900		
			3,100	3,100		
10	1	前月繰越	900		借	900

カツ商店

○年		摘　　要	借　方	貸　方	借または貸	残　高
9	1	前月繰越	2,500		借	2,500
	12	商品売上げ	1,400		〃	3,900
	26	現金回収		3,500	〃	400
	30	次月繰越		400		
			3,900	3,900		
10	1	前月繰越	400		借	400

 解説

日付欄…日付を記入	摘要欄…取引の内容を記入

借方欄…売掛金の増加額を記入	貸方欄…売掛金の減少額を記入

借または貸欄…借方残高ならば「借」、貸方残高ならば「貸」と記入

残高欄…売掛金の残高を記入

　売掛金は資産なので、借方残高となります。月末の売掛金元帳の締切りは当座預金出納帳と同様です。

> Point
>
> ## 売掛金明細表
>
> 売掛金明細表とは、商店ごとの売掛金の残高をまとめた表のことです。
>
> 売掛金明細表
>
> | | 8月31日 | 9月30日 |
> |---|---|---|
> | そ ば 商 店 | 1,500円 | 900円 |
> | カ ツ 商 店 | 2,500円 | 400円 |
> | 合　計 | 4,000円 | 1,300円 |

問題集
基本問題40へ

9章

157

売掛金元帳
（得意先元帳）

各商店の買掛金の増減を記入しよう!

158 買掛金元帳
(仕入先元帳)

資産	負債
	資本
費用	収益

 以下の取引を買掛金元帳に記帳してみよう!

クックウェア株式会社は、買掛金元帳を導入しました。

9月　1日　買掛金の前月繰越3,500円。

　　　　　（内訳　アヒー商店：2,000円、クス商店：1,500円）

　　　9日　アヒー商店より商品1,000円を仕入れ、代金は掛けとした。

　　10日　クス商店より商品1,500円を仕入れ、代金のうち300円は現金で支払い、残額は掛けとした。

　　20日　クス商店に対する買掛金1,300円について、小切手を振り出して支払った。

　　25日　アヒー商店に対する買掛金2,500円について、現金で支払った。

　　30日　買掛金元帳を締め切った。

答え

買　掛　金　元　帳
アヒー商店

○年		摘　　要	借　方	貸　方	借または貸	残　高
9	1	前月繰越		2,000	貸	2,000
	9	商品仕入		1,000	〃	3,000
	25	現金払い	2,500		〃	500
	30	次月繰越	500			
			3,000	3,000		
10	1	前月繰越		500	貸	500

クス商店

○年		摘　　要	借　方	貸　方	借または貸	残　高
9	1	前月繰越		1,500	貸	1,500
	10	商品仕入		1,200	〃	2,700
	20	小切手振出し	1,300		〃	1,400
	30	次月繰越	1,400			
			2,700	2,700		
10	1	前月繰越		1,400	貸	1,400

 解説

日付欄…日付を記入	摘要欄…取引の内容を記入

借方欄…買掛金の減少額を記入	貸方欄…買掛金の増加額を記入

借または貸欄…借方残高ならば「借」、貸方残高ならば「貸」と記入

残高欄…買掛金の残高を記入

　買掛金は負債なので、貸方残高になります。月末の買掛金元帳の締切りは当座預金出納帳とほとんど同様です。

 Point

買掛金明細表

　買掛金明細表とは、商店ごとの買掛金の残高をまとめた表のことです。

買掛金明細表

	8月31日	9月30日
アヒー商店	2,000円	500円
ク ス 商 店	1,500円	1,400円
合　計	3,500円	1,900円

9章
158
買掛金元帳
（仕入先元帳）

問題集
基本問題41へ

159 固定資産台帳

これをつけないと、固定資産税がわからなくなる…

資産

 以下の固定資産の内容にもとづいて、×4年3月31日現在の固定資産台帳に記帳してみよう!

備品A
　取得年月日：×1年4月1日
　期末数量：1
　耐用年数：5年
　取得原価：5,000円
　期首減価償却累計額：2,000円
　当期減価償却費：1,000円

備品B
　取得年月日：×3年10月1日（期中取得）
　期末数量：3
　耐用年数：6年
　取得原価：9,000円
　期首減価償却累計額：0円
　当期減価償却費：750円

 答え

固定資産台帳　　　　　　　　　　　　　　×4年3月31日現在

取得年月日	用途	期末数量	耐用年数	期首(期中取得)取得原価	期首減価償却累計額	差引期首(期中取得)帳簿価額	当期減価償却費
備品							
×1年 4月1日	備品A	1	5年	5,000	2,000	3,000	1,000
×3年10月1日	備品B	3	6年	9,000	0	9,000	750
小　計				14,000	2,000	12,000	1,750

解説

取得年月日…取得日を記入　　用途…固定資産の用途を記入

期末数量…期末時点の数量を記入　　耐用年数…耐用年数を記入

期首(期中取得)取得原価…取得原価を記入

期首減価償却累計額…期首時点の減価償却累計額を記入

差引期首(期中取得)帳簿価額…期首時点の帳簿価額(＝取得原価−減価償却累計額)を記入

当期減価償却費…当期に計上した減価償却費の金額を記入

9章
159
固定資産台帳

固定資産台帳の記入から、固定資産の状況を把握できるようにしよう！

Point

　固定資産を保有していると、さまざまな税金がかかります。例を挙げると、固定資産税は土地や家屋などの固定資産の所有者に課される税金です。固定資産税は会社の費用となるので、租税公課（費用）が増えます。

勘定科目

租税公課（費用）

　固定資産税、自動車税、印紙税は租税公課（費用）に記入します。

　自動車税は自動車の所有者に課される税金、印紙税は「契約書」「手形」「領収書」などの文書に対して課される税金です。

損益計算書

租税公課		費用	収益
＋	－		

手分けして作業をしよう！

160 伝票とは

でんぴょう
伝票ってなに〜？

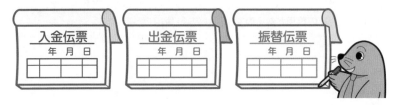

| 入金伝票 | 出金伝票 | 振替伝票 |
| 年 月 日 | 年 月 日 | 年 月 日 |

答え

伝票とは、仕訳帳の代わりに、取引の仕訳を記入する紙のことです。伝票に取引を記入することを起票といいます。取引を伝票に起票し、伝票から総勘定元帳に転記することになります。

解説

日商簿記では、入金伝票、出金伝票、振替伝票の3つを使う3伝票制が出題されます。

> Point
>
> **3伝票制**
>
> にゅうきんでんぴょう しゅっきんでんぴょう ふりかえでんぴょう
> 入金伝票、出金伝票、振替伝票の3つの伝票を用いて取引を起票します。
>
> 入金伝票…現金の増加取引のみを起票
>
> 出金伝票…現金の減少取引のみを起票
>
> 振替伝票…入出金以外の取引を起票

伝票は1枚ずつ分けられるので、記帳を分担して作業することができます。

9章

160

伝票とは

161

現金が増えたら入金伝票！

入金伝票

以下の資料にもとづいて、伝票に起票してみよう！

　クックウェア株式会社は、そば商店に対する売掛金2,000円を現金で回収した。なお、取引は3伝票制で起票している。

答え

入　金　伝　票	
科　　目	金　　額
売掛金	2,000

解説

　この取引は、現金(資産)が増え、売掛金(資産)が減ります。したがって、現金が増える取引なので、入金伝票に起票します。

| (現　　　金) | 2,000 | (売　掛　金) | 2,000 |

入　金　伝　票	
科　　目	金　　額
売掛金	2,000

現金の相手勘定科目を記入　　　金額を記入

162

現金が減ったら出金伝票！

出金伝票
（しゅっ　きん　でん　ぴょう）

以下の資料にもとづいて、伝票に起票してみよう！

　クックウェア株式会社は、アヒー商店に対する買掛金1,000円を現金で支払った。なお、取引は3伝票制で起票している。

 1000

答え

出　金　伝　票	
科　　目	金　　額
買掛金	1,000

解説

　この取引は、現金（資産）が減り、買掛金（負債）が減ります。したがって、現金が減る取引なので、出金伝票に起票します。

（買　掛　金）　　1,000	（現　　　金）　　　1,000

出　金　伝　票	
科　　目	金　　額
買掛金	1,000

現金の相手勘定科目を記入　　　　金額を記入

163

入金、出金以外の取引は振替伝票！

振替伝票

以下の資料にもとづいて、伝票に起票してみよう！

クックウェア株式会社は、アヒー商店より、商品1,500円を仕入れ、代金は掛けとした。なお、取引は3伝票制で起票している。

後で払うね

答え

振　替　伝　票			
借方科目	金　額	貸方科目	金　額
仕　入	1,500	買掛金	1,500

解説

この取引は、買掛金（負債）が増え、仕入（費用）が増えます。したがって、この取引は、入金、出金以外の取引なので、振替伝票に起票します。

（仕　　　入）	1,500	（買　掛　金）	1,500

仕訳をそのまま該当箇所に記入します。

振　替　伝　票			
借方科目	金　額	貸方科目	金　額
仕　入	1,500	買掛金	1,500

問題集
基本問題42へ

9章

163

振替伝票

235

164

このままでは伝票に記入できない！

一部現金取引
いち　ぶ　げん　きん　とり　ひき

以下の資料にもとづいて、伝票に起票してみよう！

　クックウェア株式会社は、商品1,500円を仕入れ、代金のうち500円は現金で支払い、残額は掛けとした。なお、3伝票制で起票している。

（仕　　　入）	1,500	（現　　　金）	500
		（買　掛　金）	1,000

答え

・取引を現金取引とそれ以外の取引に分解をして起票する方法

出 金 伝 票	
科　　目	金　　額
仕　入	500

振 替 伝 票			
借方科目	金　額	貸方科目	金　額
仕　入	1,000	買掛金	1,000

・1つの取引を連続した2つの取引とみなして起票する方法

振 替 伝 票			
借方科目	金　額	貸方科目	金　額
仕　入	1,500	買掛金	1,500

出 金 伝 票	
科　　目	金　　額
買掛金	500

解説

　一部現金取引とは、現金取引とそれ以外の取引が混じっている取引のことです。一部現金取引の起票方法は2通りあります。

　1つ目は、取引を現金取引とそれ以外の取引に分解して起票する方法です。この取引の場合、現金仕入取引と掛仕入取引に分解して起票します。

| （仕　　　　入） | 500 | （現　　　　金） | 500 | →出金伝票 |
| （仕　　　　入） | 1,000 | （買　掛　金） | 1,000 | →振替伝票 |

借方（左側）の「仕入1,500」が「仕入1,000」と「仕入500」に分解されているぞ。貸方（右側）は通常の仕訳と変わっていないぞ。

試験では、伝票に起票するための2つの仕訳を行ったあとに、合算・相殺して、通常の仕訳になるかを確認するわよ。

　2つ目は、1つの取引を連続した2つの取引とみなして起票する方法です。この取引の場合、いったんすべて掛仕入取引が行われ、ただちに買掛金の一部を現金で支払ったとみなして起票します。

| （仕　　　　入） | 1,500 | （買　掛　金） | 1,500 | →振替伝票 |
| （買　掛　金） | 500 | （現　　　　金） | 500 | →出金伝票 |

借方（左側）の「仕入1,500」は変わらず、貸方（右側）が「買掛金1,500」と変わっているよ。そのあと、買掛金の一部をすぐに現金で払ったと考えるから、借方（左側）に買掛金がくるよ。

問題集
基本問題43へ

9章

164

一部現金取引

165

1日の取引量が多いとまとめて集計したいよね!

仕訳集計表とは

し わけしゅうけいひょう
仕訳集計表ってなんだろう?

答え

　仕訳集計表とは、取引量に応じて、1日分または1週間分の伝票を分類・集計する表です。

　1日分の伝票を分類・集計する表を仕訳日計表、1週間分の伝票を分類・集計する表を仕訳週計表といいます。

 解説

　取引量が増えると、伝票から個別に総勘定元帳に転記することは非常に手間がかかります。そこで、1日分の各勘定の金額を仕訳日計表に集計してから総勘定元帳に転記することで、記帳の迅速化をはかります。

仕 訳 日 計 表

×8年7月1日　　　　　　　　77

借　　方	元丁	勘　定　科　目	元丁	貸　　方
160	1	現　　　　　金	1	130
620	2	売　　掛　　金	2	160
360	3	買　　掛　　金	3	500
		支　払　手　形	4	260
		売　　　　　上	5	620
500	6	仕　　　　　入		
30	7	給　　　　料		
1,670				1,670

総勘定元帳には仕訳日計表からまとめて転記するぞ！
このことを合計転記というんだ。後で学習するぞ。

現　　金　　　　　　　　　1

×8年		摘　要	仕丁	借　方	貸　方	借/貸	残　高
7	1	前 月 繰 越	✓	550		借	550
	〃	仕 訳 日 計 表	77	160		〃	710
	〃	〃	〃		130	〃	580

仕入先元帳（買掛金元帳）や得意先元帳（売掛金元帳）に
は伝票から直接、転記するのよ！
このことを個別転記というわ。後で学習するわよ。

仕入先元帳

F 商店　　　　　　　　　仕1

×8年		摘　要	仕丁	借　方	貸　方	借/貸	残　高
7	1	前 月 繰 越	✓		350	貸	350
	〃	振 替 伝 票	301	260		〃	90
	〃	〃	302		500	〃	590

9章
165
仕訳集計表とは

166

伝票を集計してみよう!

仕訳日計表の作成①
（し わけ にっ けい ひょう）（さく せい）

仕訳日計表を作成してみよう!
作成方法は合計試算表と同じだよ。

クックウェア株式会社は、毎日の取引を入金伝票、出金伝票および振替伝票に記入し、これを1日分ずつ集計して仕訳日計表を作成している。同社の×8年7月1日の取引に関して作成された次の各伝票（略式）にもとづいて、仕訳日計表を作成しなさい。

入金伝票　　　　No.101
売掛金(S商店)　　90

入金伝票　　　　No.102
売掛金(G商店)　　70

出金伝票　　　　No.201
買掛金(T商店)　　100

出金伝票　　　　No.202
給　料　　　　　30

振替伝票　　　　No.301
買掛金(F商店)　　260
支払手形　　　　260

振替伝票　　　　No.302
仕入　　　　　　500
買掛金(F商店)　500

振替伝票　　　　No.303
売掛金(G商店)　620
売上　　　　　620

答え

各勘定の借方合計を記入　　　各勘定の貸方合計を記入

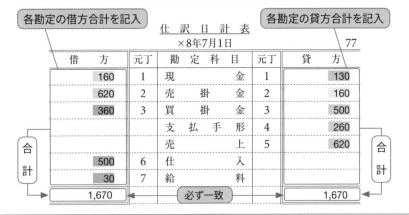

仕　訳　日　計　表
×8年7月1日
77

借　方	元丁	勘　定　科　目	元丁	貸　方
160	1	現　　　　金	1	130
620	2	売　　掛　　金	2	160
360	3	買　　掛　　金	3	500
		支　払　手　形	4	260
		売　　　　上	5	620
500	6	仕　　　　入		
30	7	給　　　　料		
1,670		必ず一致		1,670

合計　　　　　　　　　　　　　　　　　　　合計

解説

最初に、現金勘定を集計します。答えと解説の四角の色はそれぞれ対応しています。

入金伝票の合計金額を計算…現金の増加

90（No.101）＋70（No.102）＝ 160

出金伝票の合計金額を計算…現金の減少

100（No.201）＋30（No.202）＝ 130

入金伝票は必ず現金の増加、
出金伝票は必ず現金の減少、になるよ！

売掛金・買掛金勘定はＴフォームを利用します。

売　掛　金		
No.303　　620	No.101　　90
	No.102　　70

借方合計 620 貸方合計 160

買　掛　金		
No.201　　100	No.302　　500
No.301　　260	

借方合計 360 貸方合計 500

集計する金額が多いときは、Ｔフォームを利用しよう！

上記以外の勘定科目は、その他の欄を作って仕訳を行います。

そ　の　他		
No.202　給　料　　30	No.301　支払手形　260
No.302　仕　入　　500	No.303　売　上　　620

その他の欄の左側は仕訳の借方の項目、
右側は仕訳の貸方の項目を書くのよ！

167

仕訳日計表から総勘定元帳に転記をしてみよう

仕訳日計表の作成②

仕訳日計表から総勘定元帳に転記してみよう!

×8年7月1日の取引に関して作成された仕訳日計表にもとづいて、現金勘定に転記しなさい。

仕 訳 日 計 表

×8年7月1日　　　　　　　　　77

借　　方	元丁	勘 定 科 目	元丁	貸　　方
160	1	現　　　　　金	1	130
620	2	売　掛　　金	2	160
360	3	買　掛　　金	3	500
		支　払　手　形	4	260
		売　　　　　上	5	620
500	6	仕　　　　　入		
30	7	給　　　　　料		
1,670				1,670

 答え

現　　金　　　　　　　　　　　1

×8年		摘　　要	仕丁	借　　方	貸　　方	借／貸	残　高
7	1	前 月 繰 越	✓	550		借	550
	〃	仕 訳 日 計 表	77	160		〃	710
	〃	〃	〃		130	〃	580

解説

　伝票会計の問題では、残高式の総勘定元帳が出題される可能性があります。記入方法は当座預金出納帳に非常に近いです。

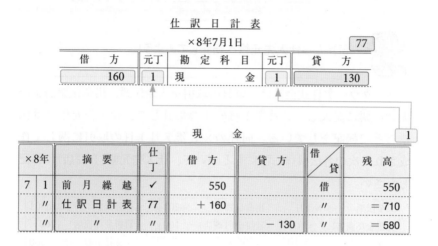

仕　訳　日　計　表

×8年7月1日　　　　　　　　　　77

借　　方	元丁	勘　定　科　目	元丁	貸　　方
160	1	現　　　　　金	1	130

現　　金

1

×8年		摘　　要	仕丁	借　方	貸　方	借／貸	残　高
7	1	前　月　繰　越	✓	550		借	550
	〃	仕　訳　日　計　表	77	＋ 160		〃	＝ 710
	〃	〃	〃		－ 130	〃	＝ 580

日付欄…日付を記入

摘要欄…「仕訳日計表」を記入

仕丁欄…仕訳日計表の番号

借方欄…現金が増加したときに記入

貸方欄…現金が減少したときに記入

借または貸欄…借方残高ならば「借」、貸方残高ならば「貸」と記入

残高欄…残高を記入

168

仕入先元帳・得意先元帳への転記は伝票から直接よ！

仕訳日計表の作成③

伝票から仕入先元帳へ転記してみよう！

クックウェア株式会社は、毎日の取引を入金伝票、出金伝票および振替伝票に記入し、これを1日分ずつ集計して、仕入先元帳には伝票ごとに転記をしている。同社の×8年7月1日の取引に関して作成された次の各伝票（略式）にもとづいて、仕入先元帳（F商店）に転記しなさい。

入金伝票	No.101
売掛金（S商店）	90

入金伝票	No.102
売掛金（G商店）	70

出金伝票	No.201
買掛金（T商店）	100

出金伝票	No.202
給　料	30

振替伝票	No.301
買掛金（F商店）	260
支払手形	260

振替伝票	No.302
仕入	500
買掛金（F商店）	500

振替伝票	No.303
売掛金（G商店）	620
売上	620

答え

仕入先元帳

F 商店　　　　　　　　　　　仕1

×8年		摘　要	仕丁	借　方	貸　方	借／貸	残　高
7	1	前　月　繰　越	✓		350	貸	350
	〃	振　替　伝　票	301	260		〃	90
	〃	〃	302		500	〃	590

解説

　伝票会計の問題では、残高式の仕入先元帳や得意先元帳が出題される可能性があります。記入方法は残高式の総勘定元帳と同じです。

　総勘定元帳との違いは摘要欄と仕丁欄の記入内容です。

　　摘要欄…伝票名を記入　　仕丁欄…伝票番号を記入

> 仕入先元帳（買掛金元帳）は各商店の買掛金の増減だから、借方欄は買掛金の減少、貸方欄は買掛金の増加のときに金額を記入するよ。

振替伝票	No.302
仕入	500
買掛金（F商店）	500

振替伝票	No.301
買掛金（F商店）	260
支払手形	260

仕入先元帳

F 商店　　　　　　　　　　　　　　　　　　　　　　　　仕1

×8年		摘　要	仕丁	借　方	貸　方	借／貸	残　高
7	1	前　月　繰　越	✓		350	貸	350
	〃	振　替　伝　票	301	－ 260		〃	＝ 90
	〃	〃	302		＋ 500	〃	＝ 590

> 転記の順序は自由だからね。No.302、No.301の順に仕入先元帳へ転記をしても問題ないよ。

> 得意先元帳（売掛金元帳）は各商店の売掛金の増減だから、借方欄は売掛金の増加、貸方欄は売掛金の減少のときに金額を記入するわ。

問題集
基本問題44へ

・勘定科目表

貸借対照表

資産	
現金	㊽
当座預金	(67)
当座預金○○銀行	(67)
普通預金	(68)
普通預金○○銀行	(68)
定期預金	(68)
定期預金○○銀行	(68)
小口現金	(138)
受取手形	(72)
電子記録債権	(76)
売掛金	㊿
クレジット売掛金	(52)
繰越商品	(61)
貯蔵品	㉛・(107)
前払金	(55)
前払○○	(86)
未収○○	(101)
未収入金	(82)
立替金	(141)
従業員立替金	(141)
仮払金	(108)
仮払消費税	(115)
仮払法人税等	(113)
貸付金	(93)
従業員貸付金	(93)
役員貸付金	(97)
手形貸付金	(99)
受取商品券	(59)
建物	(77)
車両運搬具	(77)
備品	(77)
土地	(77)
差入保証金	(83)

負債	
支払手形	(72)
電子記録債務	(75)
買掛金	㊻
借入金	(92)
役員借入金	(97)
手形借入金	(98)
当座借越	(71)
未払金	(82)
未払○○	(100)
前受金	(57)
前受○○	(87)
仮受金	(110)
預り金	(129)
従業員預り金	(130)
所得税預り金	(129)・(130)
住民税預り金	(129)
社会保険料預り金	(129)・(131)
仮受消費税	(115)
未払消費税	(118)
未払法人税等	(114)
未払配当金	(128)

資本	
資本金	⑱・(125)
利益準備金	(128)
繰越利益剰余金	㊱・(126)

損益計算書

費用	
仕入	㊼
売上原価	(64)
給料	(129)
法定福利費	(131)
支払家賃	(84)
支払地代	カバー裏
支払手数料	(52)・(69)
保険料	カバー裏
発送費	(53)
旅費交通費	(109)
通信費	⑳
水道光熱費	カバー裏
消耗品費	(77)
租税公課	(106)・(159)
広告宣伝費	カバー裏
保管費	カバー裏
諸会費	カバー裏
雑費	(149)
修繕費	(79)
貸倒引当金繰入	(132)
貸倒損失	(135)
減価償却費	(78)
支払利息	(94)
雑損	(123)
固定資産売却損	(80)
法人税、住民税及び事業税	(112)・(114)

収益	
売上	(51)
受取家賃	(85)
受取地代	カバー裏
受取手数料	カバー裏
受取利息	(95)
償却債権取立益	(136)
雑益	(123)
貸倒引当金戻入	(133)
固定資産売却益	(81)

その他

現金過不足	(119)	貸倒引当金	(132)
損益	㉜	減価償却累計額	(79)

カバー裏…カバー裏に勘定科目の説明があります。

索引

I n d e x

Index

スマートフォンやタブレットでいつでもどこでも 勘定科目対策

勘定科目を分類せよ！
わかればわかる
日商簿記2級／3級

2022年春提供開始予定

デジタルドリル
powered by ノウン

特長1 外出先や移動中のスキマ時間の学習にピッタリ！
普段持ち歩いているスマートフォンやタブレットで学習ができるので、テキストや問題集を歩かなくても、手軽に学習が可能です。また、データはお使いの端末にダウンロードされるので、学習時は通信環境が悪くても大丈夫。

特長2 合格に欠かせない勘定科目の知識定着に最適
日商簿記検定合格には、「貸付金は資産」、「受取利息は収益」といった、仕訳で用いる勘定科目の分類を正確に覚えておくことが不可欠です。このような勘定科目の分類を、いつでもどこでもドリル形式で繰り返し学習して、勘定科目に迷わないようになりましょう！

特長3 復習に便利な管理機能、出題機能
過去の正解率の他、あやふやか否かの理解度や間違えた原因の記録もでき、「間違えた問題だけ」や「自信のない問題だけ」を解きなおす機能もあるので、苦手克服にも最適です。

問題を

解いて

書き込んで

学習できます

アプリのインストールや価格や購入方法など、詳細は下記『ノウンストア』をご覧ください。

https://knoun.jp/store

※ アプリや問題データのダウンロードに要する通信料はお客様のご負担となります。
※ iOS, Android のスマートフォン、タブレットから購入してください。
　　PC からは購入できませんのでご注意ください。
※ アプリ内課金によりご購入頂きますので、あらかじめノウンのアプリをインストールをお済ませください。
※ ノウンは NTT アドバンステクノロジ株式会社が提供するサービスです。
※ ノウンは NTT アドバンステクノロジ株式会社の登録商標です。

90%の方から「受講してよかった」*との回答をいただきました。

*「WEB講座を受講してよかったか」という設問に0〜10の段階中6以上を付けた人の割合。

ネットスクールの日商簿記 WEB講座

ここが違う!

❶教材
分かりやすいと好評の『"とおる"シリーズ』を使っています。

❷どこでも学べるオンライン講義
インターネット環境とパソコンやスマートフォン、タブレット端末があれば、学校に通わなくても受講できるほか、講義は全て録画されるので、期間内なら何度でも見直せます。

❸講師
圧倒的にわかりやすい。圧倒的に面白い。ネットスクールの講師は実力派揃い。その講義は群を抜くわかりやすさです。

受講生のアンケート回答結果

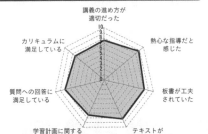

講師陣

桑原知之講師
2級・3級担当

中村雄行講師
1級商会担当

藤本拓也講師
1級工原担当

WEB講座の受講イメージ

スマートフォン・タブレット端末では、オンデマンド講義をダウンロードして持ち運ぶことも可能です。

❶ 講義画面 講義中に講師が映し出されます。臨場感あふれる画面です。	**❸ ホワイトボード画面** 板書画面です。あらかじめ準備された「まとめ画面」や「テキスト画面」に講師が書き込みながら授業を進めます。画面はキャプチャができ、保存しておくことが可能です。
❷ チャット画面 講義中の講師に対してメッセージを書き込めます。「質問」はもちろんの事、「今のところもう一度説明して」等のご要望もOK!参加型の授業で習熟度がアップします。	**❹ 状況報告画面** 講義中、まだ理解ができていない場合は「え?」。理解した場合は「うん」を押していただくと、講師に状況を伝えられます。

※ ❷・❹の機能はライブ配信限定の機能となります。

簿記の知識に+α (プラスアルファ)

～ビジネスシーンで簿記の知識を更に活かすために～

財務諸表の「作り方」が分かったら、次は「読み方」

簿記学習者のためのビジネス会計検定試験®3級テキスト&厳選過去問

ISBN：978-4-7810-0294-1　本体価格（税込）：1,980 円

大阪商工会議所が主催する「ビジネス会計検定試験®」は、あらゆるビジネスシーンで役立つ財務諸表に関する知識、分析力をはかる検定試験です。

簿記検定では財務諸表を「作る」ことに重点が置かれていますが、財務諸表の「読み方」も重要な知識です。簿記の勉強をした方であれば基礎は十分に備わっているので、ぜひ挑戦してみましょう！

- ☑ 経理職以外で簿記の知識を活用する方法を知りたい。
- ☑ 経済ニュースの内容が理解できるようになりたい。
- ☑ マネジメントに役立つ会計の知識を身に付けたい。　という方にオススメ

簿記の仕組みはビジネスの世界共通言語

マンガでサクッとわかる簿記3級からの英文会計

ISBN：978-4-7810-0255-2　本体価格（税込）：1,980 円

皆さんが学ぶ複式簿記の原理は世界共通で、国際的なビジネスシーンの共通言語ともいえます。

せっかく学んだ簿記の知識に英語の要素も加えて、グローバルで活躍できる第1歩を踏み出して みませんか？　マンガで学べる本書で、英文会計の世界を覗いて みましょう！

- ☑ 「借方」・「貸方」って、英語では何て言うの？
- ☑ 掛仕入や減価償却の仕訳を英語で書くとどうなる…？
- ☑ 英文会計の基礎が分かったら、BATIC® の問題にも挑戦してみよう！

書籍の名称やデザイン、価格等は予告なく変更となる場合がございます。

書籍や講座の最新情報は弊社ホームページをご確認下さい。

ネットスクール 検索 今すぐアクセス！　**https://www.net-school.co.jp/**